*Елена*
# КОЛИНА

# Елена
# КОЛИНА

## *Хорошие*
## *Плохие*
## *Нормальные*

Издательство АСТ
Москва

УДК 821.161.1-31
ББК 84(2Рос=Рус)6-44
К60

*Серия «Мальчики да девочки. Проза Елены Колиной»*

**Оформление переплета — *Ольга Жукова***

**Иллюстрация на переплете — *Ева Эллер***

**Колина, Елена**

К60    Хорошие. Плохие. Нормальные : [роман] / Елена
Колина. — Москва : Издательство АСТ, 2020. —
288 с. — (Мальчики да девочки. Проза Елены Колиной).
ISBN 978-5-17-127229-6

Новый роман Елены Колиной, удивительно искренний и иро-
ничный, — про вечное в актуальных декорациях. Он — избало-
ван любовью, блестящий, вдвое старше ее. Она — похожа на
абрикосового пуделя, и продает книги. «Как случилось, что отношения стали смыслом моей жизни? Что со мной не так? Я не
совсем зря живу? Я не плохой человек?» — волнуется героиня.
Попасть сразу в два любовных треугольника, открыть книжную
лавку, спасти жизнь, сделать выбор между хорошим и плохим,
много переживаний, много смешного, и всё это — за два месяца
карантина. «Мы что тут, в лавке, все ненормальные? У одного депрессия в легкой форме, у другого мания, третий идиот... в легкой
форме... — говорит героиня, и сама отвечает: — Мы нормальные,
просто у каждого что-то есть».

УДК 821.161.1-31
ББК 84(2Рос=Рус)6-44

Все совпадения случайны.

Март—июнь 2020 года

**Цитата дня:**

> — Знаете что, ваша милость? — начал Санчо. — Мне кажется, Господь посылает вам все эти несчастия в наказание за то, что вы не сдержали своего обета: не кушать со скатерти, не разговаривать с женщинами...
>
> *Сервантес. «Дон Кихот»*

✓ фобий, признаков ОКР, признаков нарциссизма — как обычно

✓ кусков розового мыла — 33

✓ обвинений, что я плохой человек, — одно

Когда ваш отец кричит «ты плохой человек!», «ты меня опозорила!» и «это патология!», вы догадываетесь, что он на вас сердится. Это катастрофа, ведь вы привыкли быть хорошей, — что теперь делать?! Орать «а-а-а!», плакать, доказывать, что нет, не патология, не опозорила, не плохой человек?!

Как доказать, что это не патология, а любовь, интерес к чужому душевному миру, восхищение масштабом личности и талантом; как объяснить, что вы взрослый человек, способный испытывать чувства... Ой, нет! Это бесполезно.

Ваш отец — психолог с 25-летним стажем и лучше знает, какие чувства вы испытываете. Кроме того, он привык говорить сам. И вот: вы, незрелая, закомплексованная, несмышленая (может, сразу скудоумная?), стали любовницей своего учителя (цитата: «Связалась со старым хреном»), руководствуясь не чем иным, как подсознательным желанием найти другого отца (цитата: «Я всегда был хорошим отцом, зачем тебе еще один?»).

Странно и смешно, когда тебя недоуменно спрашивают: «Как можно в него влюбиться?!» Я хочу ответить: «В кого же еще влюбиться, если не в него!», но отец задает вопросы и сам же отвечает: это не любовь, а невротическая потребность в любви, нарциссизм и мой вечный перфекционизм. Желание во что бы то ни стало заслужить похвалу от «старого хрена», которого я назначила генеральным директором своей жизни. «Старому хрену» нужно от меня одно — невротическое обожание. Мои отношения с ним — это созависимость: глубокая эмоциональная поглощенность, сопряженная с потерей собственной личности. Ну, а со стороны «старого хрена» — болезненно раздутое эго, уставшее либидо... Вот при чем здесь уставшее либидо?!

Предпоследний аргумент отца: «Подумай сама».

О-о, иди и подумай: мне уже кратко объявили, что я плохая, теперь мне надо каталогизировать свои недостатки и согласиться. Как в детстве. Отец говорил мне «иди и подумай, почему ты плохая», отделяя плохую меня от хорошего человечества. Это было так страшно, что я даже хотела умереть: «Уйду от вас, исчезну, испарюсь, тогда вы меня оцените!..» С тех пор «ты плохой человек» так губительно на меня действует. Я как ребенок, оправдываюсь, хочу, чтобы отец пожалел и передумал, что я плохой человек, привожу свой любимый детский аргумент: «На свете много людей лучше меня, но встречаются и хуже...» Детская травма, сто раз читали.

Но какая разница, детская это травма или взрослая? Обвинение «ты плохой человек» звучит для меня очень страшно. Мне важно считать себя хорошим человеком и вести себя как хороший человек. Я хочу стать писателем, внести в мир что-то хорошее. Конечно, можно просто кому-то помочь, но от помощи одному конкретному человеку в мире не станет заметно больше хорошего. А писатель нужен многим, кто-то прочитает, улыбнется и утешится, а кто-то подумает: «У меня тоже так бывает, я на свете не один.

Нет, ну почему, почему я плохой человек?! Потому что влюбилась? Когда человек с таким обаянием, как СН, решает очаровать вас, — все, стоп, сопротивление бесполезно. Вас бесконечно увлекают его блестящий ум, воображение, безжалостное понимание людей, способность из любого факта сделать искусство. Общение с другими людьми, по сравнению с самым простым разговором с СН, похоже на жевание капусты, чавк-чавк.

У отца много аргументов, а какие аргументы у меня?.. Никто другой не заставлял меня переживать: не глупа ли я? не плохой ли я собеседник? Я никогда не чувствовала себя такой счастливой оттого, что со мной просто разговаривают: если он разговаривает со мной, значит, я не тупица и не бездарная! СН сказал, что я так много читаю, что могу стать писателем, но мне необходим человек, который поднимет меня на другой уровень, даст направление... а «уставшее либидо» здесь ни при чем! При чем здесь секс? Подумаешь, сокровище, секс! Глупо считать, что СН всего лишь хотел добиться секса со мной, как будто секс — это редчайшая драгоценность, ради которой нужно городить все эти сложные конструкции... С ним не нужен секс, чтобы дойти до глубинного понимания. Я имею в виду, что секс иногда нужен только для того, чтобы понять другого человека.

Последний аргумент отца иронический: «Ты ведь такая начитанная».

Да. Отношения «наставник — ученица» не раз описаны в литературе. Джейн Эйр и мистер Рочестер, Николь и доктор Дайвер в «Ночь нежна», Эмма и мистер Найтли, Марианна и полковник Брэндон. Сто раз читали. Но одно дело «сто раз читали», и совсем другое, когда это касается тебя: то кажется, что ты самая умная, вытащила счастливый билет и счастлива, то — дура и несчастна... и тонешь во всем этом, как лягушка в сметане.

Я надеялась, что отец со временем поймет, как прекрасен СН (не знаю, каким образом, просто «сам поймет»), и я смогу вернуться, так сказать, на коне. Но я, как колобок, сначала укатилась от отца, потом от СН. Вернуться домой, к отцу, — это не совсем на коне, а скорее на хромом осле. Если с «другим отцом» ничего не вышло, вы не можете вернуться к первому на хромом осле. Лучше утопиться в Неве, чем увидеть в его глазах «что я говорил?». ...И услышать: «Пусть это послужит тебе уроком, в такую историю попадают неумные инфантильные девушки с низкой самооценкой!»

Кроме того, вернуться к отцу было бы нечестно: зачем ему незрелый рыдающий колобок с низкой самооценкой?

...Может, я и плохой человек, но я умная, взрослая, с нормальной самооценкой! Поэтому я не звоню отцу с просьбой «забери меня!», а пишу адрес в Яндекс.Такси: «Рубинштейна, 23».

Сложность в том, что заказывать такси нужно в очках, а садиться в такси без очков. Как другие люди справляются с тем, чтобы сесть в такси, — рюкзак, сумка, телефон, футляр для очков, очки, — очки придерживают подбородком? Когда я забиралась в машину, в лужу упало все, кроме футляра для очков, а ведь он как раз самый водоустойчивый.

## 27 МАРТА, ЗА ЧАС ДО ВЫЗОВА ТАКСИ. НОВЫЙ МИР

✓ комплексов отличницы — один

✓ шапок с помпонами — две

«На Рубинштейна развлекаться?» — сказал таксист. Я ответила «да» и начала писать, мысленно. СН говорил мне: «Пиши о том, что происходит, о своих чувствах, пиши, где бы ты ни находилась, хотя бы мысленно, о себе всегда есть что написать». Глупо быть такой прилежной ученицей, как будто не могу не выполнить домашнее задание. Но я ведь делаю это не для него? Что мне говорили в детстве? То же, что всем: «Ты учишься не для оценок, не для учителей и не для родителей, а для себя».

Еще за час до вызова такси все было хорошо. То есть у нас все было хорошо, а в мире уже все было нехорошо.

В марте мы жили, как все человечество жило в марте, прилипнув к телефонам и нервно передавая друг другу новости. Страны одна за другой закрывали границы, как будто мчались в начерченный мелом круг и кричали «я в домике», как будто чума и уже не до единой Европы, а спасайся кто может. СН сказал, что общество возвращается к феодализму, к понятию «свои — чужие», сказал «если так пойдет, то скоро будем чужих от своих колодцев отгонять... кошмар».

Кошмар, но очень интересно. Происходит что-то значительное, страшное, но не угрожающее тебе напрямую, и ты можешь ходить с озабоченным лицом, читать новости, будто делаешь важное нужное дело. На вопрос, что на ужин, можешь отвечать: «В Канаде очереди за туалетной бумагой».

12

Или подойти к кабинету и сказать в закрытую дверь: «Россия прекратила авиасообщение со всеми странами», и СН не рассердится, что ему мешают работать, а выскочит, как черт из табакерки, и скажет: «Как прекратила? Со всеми?!»

— У нас больше нет будущего. У человечества в целом и конкретно у нас, — сказал СН. — Никто не знает, что будет завтра. Исчезнет ли человечество, выживем ли мы... Вы можете жить, не имея представления о завтрашнем дне? Никто не знает, какой будет жизнь после катастрофы. Сможем ли жить в этом новом мире, где нельзя будет обняться при встрече?.. Чем жить в мире, где нет живого общения, лучше вообще не жить... Руки!

«Руки!» — это Катьке. СН имел в виду, что Катька должна убрать руки от лица. Раньше, до появления вируса, никто не интересовался, сколько раз в день человек трогает свое лицо, — три глаза или чеши нос сколько хочешь. Оказывается, человек трогает лицо девяносто раз в день. Но я, наверное, девятьсот раз, а Катька девять тысяч раз. Теперь всем нужно приучаться не трогать лицо. Мы с Катькой договорились шлепать друг друга по рукам, если кто-то чешет нос, или трет глаза, или разглаживает брови. Даже подпирать лицо руками нежелательно.

В мире все было нехорошо, но конкретно у нас все было хорошо. И еще утром никто не предполагал, что вечером я соберу вещи, а СН изумленно скажет:

— Ты уходишь от меня из-за письма? Я всего лишь написал письмо, и ты уходишь из-за такой ерунды?.. Мы можем обсудить, решить... это было всего лишь предложение.

Когда человека что-то задело, он мгновенно забывает азы своей профессии. Отец, психолог, привыкший слушать клиента, не дает мне сказать ни слова. СН ведет себя не как писатель и сценарист. Забыл, что резкое действие персонажа не прямо вытекает из предыдущего: нужно придумать триггер. Говорил, что мастерство писателя и сценариста в том, чтобы придумать неочевидный триггер, и забыл. Я ухожу не из-за письма. Письмо — это триггер.

СН сказал, что я умна и талантлива, но не смогу стать писательницей, если не буду слушаться. Если он говорит, что Катька — манипулятор, искусно манипулирует им и мной, значит, я должна ему верить, а я не слушаю его и не слушаюсь...

Я кивала. Я всегда киваю. Мне трудно сказать человеку, что он несет чушь или немного неправ. Вовсе я не теленок-соглашатель без своего мнения, у меня всегда есть мнение, которое я четко и бескомпромиссно высказываю про себя. А сказать вслух мне трудно. Я только пробормотала: «Я не из-за Катьки, правда...» Я, правда, ухожу не из-за Катьки. Я люблю Катьку, но себя я люблю больше.

— Ты решила поддать жару?.. Ничего у тебя не получится, тебя ждет жизнь бумажной мыши, — сказал СН тоном, каким ребенок говорит гадости. Когда он пишет сценарий, то иногда спрашивает: «Ну что, не скучно, может, поддать жару?» «Поддать жару» означает, что жених перед свадьбой погибнет во время взрыва газовой колонки, ребенок потеряется и спустя годы найдется с тем же крестиком на шее, герой впадет в кому, героиню продадут в гарем.

...Собрать вещи легко: джинсы, свитера, розовое бархатное платье, которое я ношу с ботинками «Доктор Мартинс», синяя шапка с помпоном, зеленая шапка с двумя помпонами, ноутбук, 33 куска розового мыла. Паспорт и банковская карточка в рюкзаке. Катька со словами «он монстр» кинула в сумку постельное белье, один комплект на первое время. Всё рассыпалось, впереди у меня неинтересная, незначительная жизнь... Почему-то всё высокое заканчивается вещами: то собираешь вещи, то разбираешь.

Я ехала в такси и была Анной из «Здравствуй, грусть». Героиня, Сесиль, выстроила многоходовую интригу, чтобы не допустить в их с отцом жизнь строгую Анну. Анна уезжает, попадает в аварию... Я представила, как СН с Катькой ужинают и обсуждают, что нужно вернуть меня, пишут мне письмо, полное любви и раскаяния, и в этот момент раздается телефонный звонок. Им сообщают, что я разбилась по дороге на Рубинштейна, они верят, что это несчастный случай, а не самоубийство... и только иногда, на рассвете, Катька понимает, что я сделала им великодушный подарок, дав возможность поверить, что это был несчастный случай, и к ней приходит тоска... грусть... Не может быть, чтобы Катька играла мной, Катька нормальный человек, и ей всего пятнадцать, она недостаточно взрослая для интриг. Да и я не такая взрослая, чтобы хоть в малейшей степени изменить их с СН жизнь. Просто интересно представить, что так может быть.

Никто не знает, что я живу в двух мирах. Один мир реальный, в нем я живу меньше. Другой книжный: представляю себя Ребеккой, Долли, Эммой... Необязательно главной героиней или персонажем женского пола, необязательно персонажем, просто живу в другом мире, где все они живые. Я не смогла бы жить только в одном, реальном, мире, просто не выдержала бы.

«Хорошо тебе погулять, не забудь родителям позвонить», — сказал таксист.

Я не выгляжу как подросток, я выгляжу нормально, на свой возраст, но есть люди, для которых главная примета взрослости — вес, все «худенькие» кажутся им подростками, особенно в полутьме.

15

✓ диванов — один
✓ кресел — три

...Ну вот, я на Рубинштейна, 23, у памятника Довлатову. Воровато оглянулась, как будто хочу сделать что-то неприличное. Но это и правда очень интимное: я дотронулась до руки Довлатова, сказала: «Привет, ты как? Я норм». Почувствовала ответный импульс. Я не псих, не слышу голоса, не воображаю, что памятник пожимает мне руку или отвечает, как у него сегодня дела.

Тут дело в другом. Довлатов нашей семье не чужой: моя бабушка из-за него осталась на второй год.

Памятник Довлатову стоит у ворот, через ворота входишь во двор. Довлатовский дом построен буквой П, идешь между перекладинами буквы П, на первом этаже по правую руку будет «черт-те что».

Когда мне позвонил нотариус с сообщением, что мне завещана квартира по адресу Рубинштейна, 23, я решила, что это чья-то шутка или мошенничество, вроде звонков «ваш счет в банке заблокирован, сообщите код». Я бы скорей поверила словам: «Вы единственная наследница старинного рода, вам завещан замок в Ирландии...» Спорим, каждому хоть раз в жизни приходили в голову подобные мысли.

Ирка не могла завещать мне квартиру! От нее нельзя было ожидать такой предусмотрительности, чтобы кому-то что-то завещать. От нее можно было ожидать совсем другого: что квартира достанется первому встречному или же постоянному ночному покупателю водки. Беспутная Ирка продавала ночью водку из окна: Иркина квартира находится на первом этаже. Там есть и другие особенности. Отец говорит: «Это не квартира, а черт-те что».

Если рассматривать «черт-те что» с точки зрения недвижимости, то это хорошая недвижимость: улица Рубинштейна — главная улица после Невского, вторая ресторанная улица в мире, здесь даже такая левая недвижимость, как Иркина квартира, имеет ценность.

Если рассматривать «черт-те что» с точки зрения жить (приглашать гостей, спать, готовить еду), то квартирой это можно назвать условно. Первоначально, по плану, здесь было техническое помещение. После войны встроили ванну и плиту, и техническое помещение превратилось в жилье. Здесь жила моя двоюродная бабушка Ирка, училась в одной школе с Довлатовым, на класс старше. На переменах бегала смотреть, какой он красивый, засматривалась и опаздывала на следующий урок. Бабушка Ирка решила остаться на второй год, чтобы весь следующий год учиться с Довлатовым в одном классе и без лишней беготни смотреть на него во время уроков.

Действительно ли бабушка Ирка осталась на второй год из-за любви или просто плохо училась? И придумала красивую легенду? У бабушки Ирки, очевидно, была склонность к театрализации жизни, она сама себя называла «беспутная Ирка». Но какая разница, была ли у бабушки Ирки большая любовь к Довлатову или большая нелюбовь к учебе? Довлатов сказал, что у любви вообще нет размеров, есть только «да» или «нет», у бабушки, очевидно, было к Довлатову «да», а к учебе «нет».

В «черт-те что» нет прихожей: с улицы входишь в огромный зал метров шестьдесят. В зале белая кафельная печь до потолка, мы всегда говорили камин, но технически это печь. Из зала через крошечный туалетик с чугунной ванной проход в комнату. В комнате всё заставлено мебелью: круглый стол, три кресла, розовое, зеленое и голубое, старый продавленный диван, к дивану нужно пробираться между древними колченогими шкафчиками, тумбочками, этажерками. Здесь же плита, если захочется сварить суп, то можно помешать его, не вставая с дивана. На диване Ирка спала и с него же продавала водку. Вставала на диван (она была небольшого роста, как я), протягивала в окно бутылку.

Я была здесь месяц назад: чтобы попасть в квартиру, пришлось вскрывать дверь, менять замок, и сосед подозрительно поинтересовался: «Вы собственник?» Я ответила: «Я собственник» — и вспомнила Сомса Форсайта. «Собственник» произносить приятно, такое надежное круглое слово — «собст-вен-ник».

...Так, я собственник, могу делать здесь, что хочу. А чего я хочу?

Хочу найти тайник с фамильными изумрудами! Изумруды продам на «Сотбис»... Нет, я не смогу продать изумруды на «Сотбис»: границы закрыты, и «Сотбис» закрыт... На скорую руку продам изумруды в интернете. На эти деньги открою свое издательство. Издавать буду все, что понравится, единственное ограничение — все авторы должны быть не старше тридцати одного года. В издательстве, в которое я обращалась со своей рукописью, мне сказали: «Сколько вам лет? Ах, вам еще нет тридцати, у вас еще все впереди». Уверена, что все, кому до тридцати, как я, не хотят впереди, хотят сейчас.

Хочу найти на дне шкафа библиографическую редкость, к примеру, дневник Пушкина! О судьбе одной пушкинской тетради до сих пор ничего неизвестно, вот ее я и найду.

Хочу найти под половицей бабушкины письма, которые она написала мне перед смертью на двадцать лет вперед, чтобы я получала по письму в год. В каждом письме будет предвидение, пророчество и наказ, как жить в этом году, и я наконец-то начну жить осмысленно, правильно и стану хорошим человеком. ...Да. Самое малое, что может произойти со мной в этой квартире, это прозрение, катарсис и полное перерождение личности.

Хочу разложить розовое мыло по шкафчикам, чтобы можно было открыть любой ящик, а там лежит розовое мыло. Это скромный реалистичный вариант: у меня в сумке 33 куска розового мыла. Каждый вечер я пересчитываю свое розовое мыло, это меня успокаивает и вселяет надежду... На что? Ну, просто вселяет надежду. Сейчас у меня 33 куска, и я собираюсь купить еще, пополнить запас на всякий случай.

## 27 МАРТА, 22:00–23:10. АНТИЧУДЕСНАЯ РЕАЛЬНОСТЬ

- ✓ признаков стресса из-за желания держать все под контролем — пять
- ✓ признаков невротизации — пять

Мама кричала в телефон: «Лика! А если я заражусь?! А если я уже заражена?.. Мимо меня идет колонна грузовиков с гробами!»

Не может быть, что мимо ее дома идет колонна грузовиков, грузовики туда не проедут. Грузовики с гробами идут по шоссе. Маме очень страшно одной в ее крошечной квартирке в Бергамо. Променяла Петербург на Бергамо, папу на Труффальдино, меня на без меня. После того как развелась с Труффальдино, не вернулась, говорила, что в Бергамо рай. Каждый день ездит в Читта Альта, поднимается на фуникулере до Меркато делле Скарпе, с площади идет вниз до виа Порта Дипинта в свой крошечный (в Бергамо все крошечное) магазинчик винтажных аксессуаров: сумки, кошелечки, заколки, брошки, ремни...

— Я ловушке! А вдруг у меня будет инфаркт?! Меня не будут лечить!

— У тебя же нет инфаркта...

— А если я сломаю ногу?

Ей нужно выплеснуть страх. Если у нее случится инфаркт или она сломает ногу, ей не окажут медицинскую помощь, все больницы работают только на эпидемию. Она совсем одна в цветущем Бергамо, где соседи умирают целыми семьями, где люди задыхаются перед смертью. Сказала, что в Петербурге ей не было бы так страшно, как в Италии: в России человек всегда готов ко всему, а в Италию она уехала как в рай, и вдруг оказалось, что попала в ад.

Она сейчас как военный корреспондент, ее посты в Фейсбуке вдруг стали читать сотни подписчиков. Сотни подписчиков не поверили бы, что автор постов с переводами новостей из итальянских газет ночью истерически кричит своей дочери: «Мы все умрем! Сначала умрем мы, потом вы! Твой Фейсбук будет полон сообщениями твоих друзей о смерти родителей, бабушек и дедушек!..»

— Вы думаете, что вас не коснется, — сказала мама. — Люди всегда думают, что их не коснется, пока не становится поздно. Евреи в Германии были уверены, что самого страшного не может случиться, а потом их, не верящих, забрали в концлагеря. Но всегда были люди, которые знали...

Когда мы с мамой еще были откровенны друг с другом, я рассказывала ей, что часто воображаю себя Анной Франк. Для меня-Анны самое страшное — неопределенность, что невозможно по-настоящему строить планы, ведь нацисты могут прийти в любую минуту. Каждую минуту может случиться плохое. Зачем она говорит мне про евреев в Германии? Она же знает, что я помешана на Холокосте.

Мама знает, как я боюсь инфекций, что я ношу с собой пузырек с жидкостью для дезинфицирования рук. Я никогда не прикоснусь к ручке двери в общественном туалете. Люди смотрят странно, если открываешь дверь рукой, завернутой в салфетку. Лучше изловчиться и открыть дверь локтем. Мама знает, что я постоянно мою руки, хотя внешне я самый нормальный человек на свете.

Как только появляются родители, я становлюсь маленькой: мама пугает, я боюсь. Она могла бы подумать об этом, не пугать меня так сильно. Но с тех пор как мама ушла от нас, ей кажется, что это она маленькая, а я взрослая. Она пугает меня и сама успокаивается. Чем сильней я пугаюсь, тем быстрей она успокаивается.

Испугать меня нетрудно, я и сама боюсь. С этим вирусом самое страшное — неопределенность: может, заболеешь, а может, нет. Может, заболеешь легко, а может быть, будешь задыхаться, а может быть, умрешь. Вирус не на всех действует, он выбирает: как в игре в «Мафию» — «проснулись все, кроме Феди». Страшно, что не знаешь, кого выберет вирус, а вдруг маму, а вдруг меня? И я все думаю, достаточно ли хорошо я мою руки?

Особенно страшно, что этот вирус живет на поверхности, это придает всему уже совершенно адский оттенок. Обычный вирус передается воздушно-капельным путем, а этот — везде, в подъезде, в лифте, на асфальте, на стенах домов, на магазинных пакетах... Мама кричит «сиди дома!» и «мой руки!». СН говорит «цивилизация гибнет», «мир обречен». Зачем мне мыть руки, если мир обречен?

В комнате окно. В этом нет ничего особенного, в любой комнате есть окно. Но это первый этаж.

Это низкий первый этаж. Тому, кто захочет залезть ко мне, даже не надо будет лезть. Он сможет поднять руку и постучать в окно... или заглянуть. Прямо сейчас в моем окне может появиться лицо или рука.

Решила, что буду спать в зале: окна там немного выше, чем в спальне. Перетащила в зал диванные подушки... В зале два окна!.. Два окна означает, что шансы увидеть лицо в окне увеличиваются вдвое: два лица в двух окнах. И шансы умереть от ужаса на месте, на диванных подушках, увеличиваются вдвое.

Окон нет только в туалетике. Фрекен Бок пряталась от привидения в ванной комнате, постелила полотенца в ванну и улеглась. Фрекен Бок смогла, и я смогу. Если очень хочется спать, можно и в туалетике заснуть. С другой стороны, находиться в помещении без окна еще опасней: я не смогу увидеть, что кто-то залез в окно. Да и не ложиться же мне на пол около унитаза! Я человек и буду спать на диване.

Перенесла подушки из зала обратно в комнату. Расставила все вещи вокруг себя симметрично, мне нужно, чтобы вокруг меня все было симметрично. Заплакала.

Плакала минут десять-пятнадцать из-за своей дурацкой жизни. Все не так, как я хотела. Я не могу ничего контролировать. Не могу остановить крушение мира, контролировать вирус, свою жизнь. Могу попробовать примирить то, что случилось, с тем, что должно было бы быть, только расставив вещи симметрично и разложив мыло.

В туалетике течет кран: кап-кап, кап-кап, кап-кап... Считала капли тройками — три, шесть, девять. Изо всех сил старалась заснуть, с другой стороны, изо всех сил старалась не заснуть: пока я сплю, кто-то залезет в окно. Досчитала тройками до тысячи.

Что я делаю в насквозь чужой квартире, где даже книг нет? У меня зависимость от книг: рядом со мной должны быть книги. Не обязательно каждую минуту читать (иногда я могу и не читать), книги должны просто быть. А у Ирки ни одной книги, я одна как в чистом поле. Без книг.

...Кап-кап, мир обречен, кап-кап, в туалетике течет кран, я присутствую при конце света, я одна на старом диване, кап-кап, мне стыдно, что в моей жизни полный крах, я позволила отношениям с СН изменить мое представление о себе... Это мой личный крах на фоне конца света. Мне повезло, что мой личный крах происходит на фоне конца света: какая разница, что во мне не так, если все равно конец света?..

Меня вдруг накрыло чувство, будто я не существую. Или существую, но как другая форма жизни, не как человек. Я сфотографировала плиту и ушла.

Я всегда перед уходом из дома фотографирую плиту, чтобы облегчить себе жизнь. Я же знаю — только выйду из дома, как волной накатит страх, что дома пожар, все в огне. И я повернусь и пойду проверять, выключен ли газ. Могу три раза вернуться или четыре. А так у меня вот, имеется фотография плиты! Посмотрю на фото и успокоюсь — газ выключен. А вот невыключенный утюг меня не волнует: у меня нет утюга, я не покупаю одежду, которую нужно гладить. Кран на кухне я тоже фотографирую, чтобы не думать, что дома потоп.

Мне повезло, что я живу сейчас, а не во времена Довлатова. Что бы я делала, перед уходом печатала бы фотографии плиты в ванной при свете красной лампы?

Вышла из двора, подошла к памятнику Довлатова. Загадала: если коснусь правой рукой его левой руки и скажу «всё нормально?», всё будет хорошо. Понятно, что всё не может быть всегда хорошо. Но если бы я не загадала, всё было бы еще хуже. В этом смысл любого загадывания.

Дотронулась правой рукой до его левой руки незаметно, чтобы никто не увидел: на Рубинштейна ночью — как днем, полно народу.

Глупо плакать на Рубинштейна. В любом другом месте было бы не глупо, а на Рубинштейна, где вокруг бушует жизнь, глупо. С завтрашнего дня карантин, все будет закрыто: театры, парки, магазины, рестораны. Сегодня последний день нормальной жизни. У меня крах личной жизни и представления о себе, но я не плачу. Что бы сказал СН, увидев меня сейчас на Рубинштейна? Что у меня недостаточный крах, или что я недостаточно глубоко чувствую, или просто «эх, молодость»? Но мне кажется, что это валяние одной в слезах — неправда: если я одна, то кому я плачу, надо встать и идти. Запрещаю себе думать о СН. Подумаю завтра. Плакать тоже запрещаю. Пойду... Куда бы мне пойти?

Пойду в «Фартук» в Толстовском доме.

- ✓ Достоевских — два
- ✓ Чеховых — два
- ✓ признаков ОКР — один

Официант смотрит на меня, будто гипнотизирует: «Отдай бокал, отдай бокал, отдай бокал».

«Фартук» открыт до последнего посетителя. Последним посетителем была я.

Сидела с бокалом вина до упора, чтобы не считать капли в туалетике — кап-кап, чтобы не думать, что в Италии заболело еще пять тысяч, и все это идет к нам... Во втором часу ночи все посетители ушли, я осталась одна, официант намекнул, что хотел бы забрать у меня пустой бокал. Демонстративно поднимал стулья на столы, гремел посудой, намекая, что последний посетитель должен и честь знать.

Довлатовский дом через переулок от Толстовского, от «Фартука» до моего подъезда три минуты. Я могла бы провести время в баре напротив или в баре на Пяти углах. Улица Рубинштейна никогда не спит, часов до четырех ночи можно переходить из бара в бар и сидеть там, как Хемингуэй, с блокнотом и бокалом вина. Я боюсь алкоголя в смысле потери контроля, выпиваю за вечер бокал вина, поэтому меня не очень любят в барах. Решила сделать круг — пройду по красивым дворам Толстовского дома, чтобы прийти домой хотя бы на несколько минут позже.

В заднем дворе Толстовского дома на асфальте рядом с помойными баками лежали книги. Собрания сочинений. У нас дома точно такие же: коричневый Пушкин, синий Лермонтов, сиреневый Джек Лондон, коричневый Горький, светло-серый Толстой, красный Маяковский, серый Достоевский. И другие.

Книги на асфальте не самое обычное зрелище, но и не совсем необычное. Люди переезжают или уезжают жить за границу, и кому нужны старые собрания сочинений, к примеру вот этот бордовый Фейхтвангер? Кто будет его читать? Я и сама не буду. Нет, ну «Гойя», «Еврей Зюсс», «Испанская баллада», «Лисы в винограднике», само собой. ...Собрания сочинений выносят из дома и складывают стопками на асфальте.

Но это было необычное зрелище: на помойке Толстовского дома лежала целая районная библиотека. Может быть, хозяин библиотеки умер, и наследник — что ему делать с таким огромным, невероятным количеством книг — хотел отвезти книги в дом престарелых или в больницу, но по дороге подумал «ну нафиг, не буду париться» и выгрузил на помойке?

Не все книги лежали правильно. Коричневый Бальзак аккуратной стопкой, оранжевый Лесков на сером Достоевском, а «Библиотека приключений» вперемешку с красным Маяковским, а третий том коричневого Бальзака вообще откатился в сторону и лежал один. Лескова я не читала, кроме «Леди Макбет Мценского уезда» и «Захудалого рода», Бальзака раз сто перечитывала подряд от первого тома к последнему, особенно любила третий том, пятый и с седьмого по девятый.

Я дотронулась мыском ботинка до третьего тома Бальзака, чтобы подвинуть его к остальным томам, и во мне тут же вспыхнуло — с ума сошла?! книгу — ногой?! Но почему бы и не ногой? Сейчас я уйду, книги останутся здесь, на асфальте, завтра их затопчут, унесет ветер, погрузят в помойную машину, сожгут.

И тут я совершила необъяснимый поступок.

Ох, ну почему необъяснимый? Очень даже объяснимый. Я совершила объяснимый поступок. Многократно совершила объяснимые поступки.

Взяла коричневого Бальзака, отнесла домой, положила на пол в зале, взяла сумку. Вернулась на помойку, взяла оранжевого Лескова и светло-серого Толстого — в сумку влезло больше, чем просто нести на руках, отнесла домой. Вернулась, взяла зеленого Тургенева... Это ОКР, обсессивно-компульсивное расстройство. Например, смотрю в гостях на покосившуюся картину и вдруг — понимаю, что нельзя, но знаю, что сделаю — протяну руку и поправлю. Или, пока никто не видит, выровняю ботинки в прихожей, чтобы стояли в одну линию, предпочтительно по пяткам. Не могу видеть асимметрию.

Книги на асфальте представляли собой куда более мучительную картину, чем сдвинутый с места стул или ботинки не в одну линию, книги на помойке воплощали в себе всю асимметрию мира. Человеку с ОКР не нужно это объяснять, а человек без ОКР все равно не поймет: в тебе что-то невыносимо свербит, пока ты не сделаешь, что нужно. То, что тебе нужно.

Желтый Алексей Толстой, «Библиотека приключений», серый Достоевский, Диккенс темно-зеленый, бордовый Паустовский, Фейхтвангер бордовый... родной бело-молочный Маршак, четыре тома, на корешках мелкие серые травки и цветы, Фенимор Купер, шесть томов, зеленый с узорчатыми кружками (не любила про индейцев, но не оставлять же его на помойке одного), Куприн голубой, пять томов, мой самый любимый том — второй, там «Гранатовый браслет» и «Поединок», а «Яму» не люблю, хотя, конечно, помню наизусть. Мериме салатовый, немного выцвел, корешки украшены черными силуэтами, шесть томов, Есенин, два тома, зеленый с березами. ...Все это огромное количество книг я прочитала в детстве. В университете читала то, что нужно было по программе, сейчас, когда учусь в магистратуре, читаю еще меньше. Получается, я все прочитала в детстве!

Если я начинаю что-то убирать или складывать, то не могу прерваться, пока все не станет идеально. Человеку с ОКР невозможно остановиться, пока то, что он начал, не будет сделано идеально. Вот я и металась с книгами взад-вперед, как сосредоточенный бобер, которому нужно до утра закончить запруду.

Было бы логично самое любимое забрать, а не самое любимое оставить на помойке. Зачем мне Брэм, «Жизнь животных», три тома? Зачем мне собрание Джека Лондона, разве я буду перечитывать «Белый клык»?.. Но Джек Лондон сиреневый, как у нас дома. Третий том мне, безусловно, нужен: я люблю «Маленькую хозяйку большого дома». Но кто бы смог взять третий том, а остальные оставить на помойке? Чем «Мартен Иден» хуже «Маленькой хозяйки большого дома», и «Белый клык» тоже кому-то дорог. Герберт Уэллс синий, пятнадцать томов. Уэллса можно было бы оставить, это не мой писатель, но любой, кто читал его «Опыт автобиографии», лучше сам останется на помойке, чем оставит на помойке его собрание сочинений.

Некоторые собрания повторялись, было два Достоевских, серый и коричневый. Зачем мне два Достоевских? Мне и один Достоевский не нужен, не считая, конечно, «Идиота» и «Дневника писателя». Но как выбрать между серым Достоевским и коричневым, кого спасти, а кого оставить на помойке?

Если бы я раньше увидела книги на помойке, я бы подумала «ой, книги» и прошла мимо. А сейчас я подумала «ОЙ, КНИГИ». Раньше смерть, рок, тоска, пучина, все это большое, существовало только в греческой трагедии, а теперь все новости полны страшных цифр: умрут миллионы, а после того как умрут миллионы, мир изменится, это будет новый мир... без моих книг?! ...А как же старый мир? Вот эти книги — это наше все, книги и есть мой мир, моя жизнь... Возьмем Ромена Роллана, коричневого, я больше никогда не буду его читать, но я же в детстве любила «Очарованную душу», — а теперь мой мир выбросили на помойку?! ...Наверное, у меня случилось временное умопомрачение, в умопомрачении я решила: раз уж наступает конец света, спасу цивилизацию на одной, отдельно взятой помойке. Фейхтвангера спасу, его уже однажды жгли, Ромена Роллана, «Библиотеку приключений» спасу. Жорж Санд, Чехова, Маяковского, Золя. Ну, я шучу, конечно. Почти что шучу. Но разве у других людей не бывает диких мыслей, о которых стыдно рассказать, потому что все решат, что ты псих?

...А сколько там было просто книг, кроме собраний! Книги семидесятых годов, восьмидесятых, девяностых годов, начала двухтысячных. Разве нормальный человек может рассчитывать, что перенесет все это в одиночку и не загнется? От помойки до моей квартиры четыре минуты, с книгами в сумке больше. Два часа пролетели незаметно, и я всего-то перетаскала десятую часть... Чемодан я тоже взяла.

Чемодан, старый, драный, давно уже переставший быть «багажом». Чемодан был открыт, и я чуть не свалилась в него, споткнувшись о рассыпанную рядом «Библиотеку приключений». В чемодане сокровища: «Ночь нежна», «Возвращение в Брайдсхед», «Обещание на рассвете», «Дневники» Чуковского, «Телефонная книжка» Шварца, Искандер, Трифонов, — как будто кто-то специально сложил в чемодан мои любимые книги! На «Ночь нежна» завтракали или обедали — на обложке пятна от варенья или кетчупа. Думаю, у хозяина библиотеки была полка с любимыми книгами, откуда все ссыпали в чемодан. Наши с ним любимые книги совпадают, кроме Гайдара. Там был зеленый четырехтомник Гайдара, наверное, случайно попал с другой полки. Хотя «Голубую чашку» я люблю.

На дне чемодана Дюма! «Граф Монте-Кристо», очень потрепанный, его много раз читали. «Сага о Форсайтах», два больших синих тома, не очень потрепанная. «Мадам Бовари» в другой обложке: у меня была красная, а это серая, на этой обложке мадам Бовари не так красива, как на красной. Я вообще очень дорожу книгами в другой обложке — возникает детская надежда, что в другой обложке все будет по-другому и можно читать как новую. «Песенник» 1961 года. Тоненькая брошюра «Методы кастрации крупного рогатого скота». Должно быть, кто-то подарил хозяину библиотеки эту брошюру ради шутки.

Чемодан был тяжелый, к тому же я не смогла его закрыть. Это была по-настоящему неразрешимая проблема: бросить чемодан исключено, а пихать его ногой и тащить волоком займет несколько часов.

— Что в чемодане? — сказал кто-то за моей спиной.

Это был официант из «Фартука». То есть я оглянулась и увидела, что это официант из «Фартука». Не тот, что пытался забрать у меня бокал, стул и стол, чтобы я поскорей ушла. Тот официант был высокий и с черной бородой, как злодей из одного романа Агаты Кристи, а этот совсем не похож на злодея. Он похож на Себастьяна из «Возвращения в Брайдсхед»: светловолосый, нежный, тонкий, с лицом интеллигентного Петрушки. Красивый, если кому-то нравится чуть женственная красота, с такой нежной кожей, словно вчера впервые побрился. Я заметила, какая у него кожа, потому что мы стояли под фонарем.

— Что с тобой не так? Сидишь в «Фартуке» до упора, ночью шныряешь с чемоданом. Что в чемодане?

— Труп.

Официант из «Фартука» сказал, что после работы зашел в соседний бар, а сейчас шел к памятнику Довлатова: он поклонник Довлатова, использует всякую возможность взглянуть на памятник. И, кстати, его зовут Марат, а я могу называть его Маратиком, как его зовут все. Я сказала, что живу в Довлатовском доме и, кстати, меня зовут Лика.

— Тебе помочь с трупом?

Он пыхтел, задыхался, останавливался перевести дух, но допинал чемодан до подъезда.

— О-о-о, сколько у тебя книг... А почему книги на полу? Любишь читать с пола?

— Книги только что с помойки, не успела разобрать. Хочешь Чехова? У меня два, голубой и зеленый.

— Чехова мне только не хватало. Не страшно тебе тут одной?

— Страшно.

Мы два раза сходили на помойку, принесли книги, но их не становилось меньше. Маратик, вытирая пот со лба, сказал: «Все, больше не могу». И вызвал на помойку такси.

Таксист не захотел ехать с помойки в соседний двор, но Маратик его уговорил. Маратик с таксистом складывали книги в багажник и на задние сиденья, а я встречала их у подъезда.

Всего-то двенадцать поездок, и таксист наконец-то привез последнюю партию. Было неловко, что Маратик уже успел рассчитаться с таксистом, ведь это мои книги, моя помойка. Обычно я стараюсь заплатить первой, но было приятно, что Маратик оказался не жадиной.

...Чемодан у окна. Книги свалены в зале. Все вперемешку, Диккенс на Толстом, Маяковский вообще повсюду... Выглядит ужасно, как будто война, и все это срочная эвакуация библиотеки, — складывать книги некогда, уже бомбят, поэтому выносим и бросаем на пол. Чехов, Горький, Шекспир, Диккенс, Толстой, Маяковский повсюду... Хорошо, что Маратик догадался вызвать такси на помойку, у меня бы руки оторвались носить.

— Зачем мы все это приволокли? — спросил Маратик.

Я не подумала, что нравлюсь ему или что он хочет просто переспать со мной или узнать меня получше. Я не думаю, что вызываю у первого встречного сложную гамму чувств. Никакой гаммы чувств, просто ему некуда торопиться, а может, и вообще некуда идти.

✓ моральных императивов — один

Я проснулась от восторга: я сплю! Не лежу без сна, не думаю о вирусе, не думаю о своей жизни, не считаю капли — кап-кап, а сплю!

Было семь утра, значит, я проспала пару часов. Маратик спал рядом.

Маратик спал рядом.

Один из сериалов по книге СН начинается со сцены: героиня просыпается и видит, что рядом с ней спит незнакомый мужчина. А она реально не помнит, кто он и что между ними было. СН говорил: самое смешное, что во время съемок этого сериала такая история случилась с ним. Он проснулся рядом с актрисой, играющей главную роль, и она сделала вид, что не помнит, что между ними было. Он сказал: «И мне тут же пришлось заводить отношения, иначе неловко».

Мы с ним познакомились в финале этих отношений. Актриса поставила СН ультиматум: либо он на ней женится, либо все, она от него уходит. СН в ответ потребовал, чтобы она перешла в иудаизм. Это было остроумно: он ни разу не был в синагоге, не общался ни с одним раввином, ничего не знает про иудаизм, и он даже не еврей. Актриса ответила, что ей неоткуда переходить в иудаизм, так как она не религиозна. СН придумал требование перейти в иудаизм, потому что хотел расстаться легко и смешно. Но вышло не так: актриса разнервничалась и стала принимать успокоительные.

СН сказал: «Многие женщины считают: чем больше психических отклонений, тем лучше, но нормального человека любое отклонение отвращает». СН сказал актрисе, что это конец: самый важный человек в его жизни — Катька, и он слишком хороший отец, чтобы вводить психопатку в жизнь своей дочери.

Я не сделала вид, что не помню, что между нами было: я же не псих, помню, с кем засыпала.

На Маратике мой розовый халат. Глаза закрыты, но я помню, что глаза у него, как у ребенка, удивленные и обиженные, словно он смотрит на мир чуть брезгливо и говорит: «И вот это — мне?..»

Я прекрасно помню, что между нами было. Маратик рассказывал, что его прапрадеда по маминой линии назвали в честь французского революционера, прадеда в честь прапрадеда, деда в честь прадеда: в семье по маминой линии все Мараты, кроме, разумеется, мамы.

Маратик не захотел спать на полу на диванных подушках (сказал, что у него и так болит спина от моих книг), и мы легли вдвоем на диван, просто упали от усталости. Я от усталости, а Маратик от усталости и от алкоголя, у него с собой была фляга с коньяком, когда они с таксистом возили книги, он все время выпивал. Мы легли на диван и стали петь. В чемодане был «Песенник» 1961 года, мы по нему пели.

Петь вдвоем по песеннику совсем другое дело, чем без песенника. Без песенника кто-то начинает и сразу «ой, я помню только первую строчку... давай ты», а второй не помнит вторую строчку, а помнит только припев.

У Маратика хороший слух, а у меня громкий голос. Мы лежали рядом, листали песенник и пели, Маратик дирижировал и толкал меня в бок, когда я пела слишком громко или врала мотив. У нас отлично получилось «Жил да был черный кот за углом» и «Хотят ли русские войны». Перед тем как заснуть, мы спели сами, без песенника, «Что тебе снится, крейсер „Аврора“, в час, когда утро встает над Невой».

Маратик сказал, что я неправильно пою эту песню, слишком жалостливо, как хор мальчиков, а надо петь жизнерадостно и цинично. Сказал, чтобы я представила, что я геолог, до Питера тысячи километров тайги, у меня там любимая, я верю, что она дождется, но если не дождется, то черт с ней. Мы еще раз, по-новому, спели «Что тебе снится, крейсер „Аврора“» и мгновенно заснули. Все-таки мы перетаскали несколько тысяч книг.

...Я наслаждалась мыслью, что я только что спала и сейчас еще засну... и тут раздался стук. Вот и случилось то, чего я так боялась: стучали в окно. В зале. Я замерла, притворилась перед собой, что стука не было. Но стук был.

Будить Маратика почему-то было страшнее, чем не будить. Делать вид, что никто не стучал, тоже было страшней, чем встать и посмотреть, кто стучит. Я переползла через Маратика, на негнущихся ногах подошла к окну в зале, встала в чемодан. Вернее, на стопку книг в чемодане. Я положила на стопку два больших синих тома «Саги о Форсайтах» и оказалась на уровне окна. Спросила: «Кто там?» Это было бескрайне глупо: я видела, кто там.

— Водка есть? — спросил человек неприятно алкоголического вида, и я поняла, что всё не так страшно.

Это не дементор, а просто старый бабки-Иркин клиент, ему нужна водка. За те полгода, что бабки Ирки нет, ее все забыли, а этот человек помнит хорошее, пришел и спрашивает: «Водка есть?»

Я показала знаками «нет», но он всё не уходил, тогда я открыла форточку и сказала в форточку: «Водки нет и больше не будет».

— А что есть? Пиво?

— Пива нет, и вина нет, и коньяка, и коктейлей нет. Я не продаю алкоголь, я просто здесь живу, — втолковывала я.

— Ничего не продаешь? Не ври. Я видел, как ты чемодан с помойки тащила. Алкоголя нет, а что есть?

— Чехов голубой и зеленый, Джек Лондон сиреневый, Майн Рид, пятитомник оранжевый...

Если бы в этом театре абсурда были зрители, они могли бы подумать, что я стою на выдаче книг в библиотеке.

Алкоголик повернулся и ушел, не попрощавшись. Какое счастье, что здесь Маратик. Будь я здесь одна, умерла бы от ужаса прямо на «Саге о Форсайтах», и все.

Ох, опять стук в окно. Вернулся. Стучит в окно. Зачем он вернулся?! Я же сказала, что водки нет.

— Достоевский есть?

Господи, Достоевский... семь утра, ко мне пришли за водкой, вместо водки просят Достоевского... Это же просто... настоящий Достоевский!

Я взяла из стопки серого Достоевского, верхний том, просунула в форточку. Алкоголик полистал и сказал: «Здесь письма, давай другой».

Я просовывала по одному тому в форточку, потом просовывала по два. Хотела по три, чтобы быстрей, но по три тома не влезало, форточка небольшая. Наконец просунула в форточку всего серого Достоевского, и алкоголик ушел.

— ...Где ты шляешься? — пробормотал в полусне Маратик.

— Достоевского раздаю окрестным алкоголикам.

— Хорошо. Ложись скорее.

— Нет. Вставай и уходи. Иди домой.

Маратик закрыл глаза и сказал, что он совсем не хочет домой, ему со мной хорошо. Между нами возникло что-то прекрасное, за эту ночь я стала частью его жизни.

— Ложись, давай еще поспим.

— Нет. У каждого человека должны быть моральные императивы, мой моральный императив состоит в том, что я не сплю с незнакомцами на одном диване.

— Мы с тобой созданы друг для друга: тебе страшно одной, а мне негде ночевать. Согласись с тем, что я уже стал частью твоей жизни, и ложись.

Легла рядом с Маратиком, подумала: «Какое счастье, что здесь Маратик! Как бы я заснула после такого?» — и провалилась в сон.

**Цитата дня:**

> — Это Ася ее нашла, — отвечал Гагин. — Ну-ка,
> Ася, — продолжал он, — распоряжайся. Вели все сюда
> подать. Мы станем ужинать на воздухе. Тут музыка слыш-
> нее. Заметили ли вы, — прибавил он, обратясь ко
> мне, — вблизи иной вальс никуда не годится — пошлые,
> грубые звуки, — а в отдаленье, чудо! так и шевелит в вас
> все романтические струны.

*«Ася»*

Всё же неловко. Лежим вдвоем на узком диване, я в пижаме, Маратик в моем розовом халате, ничего друг о друге не знаем. Не то чтобы разврат, беспорядочная половая жизнь и распущенность, но и не то чтобы совсем не распущенность.

Тихо, чтобы не разбудить Маратика, встала, побрела к чемодану. С закрытыми глазами вытащила книгу. Открыла, где пришлось, ткнула пальцем в строчку, нашла цитату дня.

Теперь, когда у меня есть книги, это опять станет моим ритуалом, как было всегда, и дома, и у СН: проснуться, взять книгу, открыть на любой странице, ткнуть пальцем в строчку — найти цитату. Из цитаты может получиться день. Цитата может указать путь, как поступить, но может и не указать. Иногда смысл цитаты дня понятен сразу, иногда надо подумать. Иногда смысл остается скрытым, но он есть. Бывает, что, как ни крути, не к чему пристегнуть цитату. А иногда — и это самое интересное! — смысл цитаты обнаруживается только на следующий день.

Вернулась на диван к Маратику, стала думать, к чему это — «ужинать на воздухе», «романтические струны»...

...Проснувшись, Маратик повернулся ко мне: неловко, надо проявить к хозяйке дома сексуальный интерес. Вчера ночью мы пели и заснули, как дети, нам даже не пришло в голову, что мы разного пола.

Но мы разного пола. Принято считать, что два молодых разнополых человека, оставшись наедине, должны броситься друг к другу и заниматься любовью, как сумасшедшие кролики.

Маратик вежливо протянул ко мне руку, я отвела его руку и сказала:

— Прости, но у меня есть особенности... я асексуал.

— Асексуал? — оживился Маратик. — Ты вообще против секса или против секса со мной? Может быть, ты лесби?

— Я не против секса в принципе. И я не лесби. Я асексуал, это другое. Асексуалы не чувствуют влечения ни к кому.

— Даже ко мне? — недоверчиво хмыкнул Маратик.

— Для асексуалов секс возможен в виде подарка партнеру, и то после долгой работы над собой. Асексуала нужно предупреждать о возможном сексе за два дня... а о спонтанном сексе не менее чем за пять дней.

— Предупреждать о спонтанном сексе за пять дней в письменном виде. Понял. А если не предупредить, что тогда?

— Тогда у асексуала будет психологическая травма. Некоторые асексуалы могут даже впасть в ступор.

— Да?.. Интересно. ...Тогда я тоже должен кое в чем признаться. Ты асексуал, а у меня целибат. В отличие от тебя, я чувствую сексуальное влечение... к тебе и ко всем... но у меня целибат, воздержание от секса по религиозным или иным соображениям. Я воздерживаюсь от секса с тобой по религиозным или иным соображениям.

Все эти шуточки означают, что ни ему, ни мне не нужен секс, и мы свободны. Свободны от необходимости заниматься сексом.

Мы немного поспорили, кому идти за продуктами, и я сбегала в магазин во дворе напротив, принесла хлеб, молоко, яйца. Маратик крутился у плиты в моем розовом халате.

— Ты хочешь яичницу или омлет? ...Оргазм — это хорошо, но почему я должен считать эти несколько минут главными в своей жизни? С точки зрения общества, если у меня нет секса, я неполноценный. Общество вынуждает меня иметь секс, чтобы я не чувствовал себя неудачником. А я ничего не делаю из-под палки, это мой принцип, — рассуждал Маратик, взбивая вилкой яйца. — И еще я против любви. Любовь вовсе не самое прекрасное, а самое страшное, что есть в мире, любовь делает другого человека объектом: ты мой любимый человек, хочу тебя трахнуть. Любить — это значит делать зло другому, отнять у него свободу. Разве мы хорошие люди, когда любим? Мы хотим заполучить любимого человека, владеть им единолично, чтобы он был только наш, хотим съесть его, сожрать. Да еще стремимся сделать объект любви лучше, более съедобным, вкусным для себя... Ну как омлет, ничего?.. Единственная прекрасная связь между людьми — это дружба: я выбрал тебя, ты выбрала меня...

И тут раздался стук, против обыкновения не в окно, а в дверь.

За дверью стояла женщина с карликовым пуделем, у женщины на голове бантик, и у пуделя на голове бантик.

— Я ваша соседка. Скажите, пожалуйста, у вас Манн есть? Очень нужно.

— Томас Манн есть, в десяти томах, коричневый, — сказала я, вытирая слезы. — Почему вы спрашиваете?

— У меня есть друг. Это вы понимаете? — агрессивно сказала женщина, и пудель тявкнул.

Я кивнула.

— Долго никого не было, три месяца, и вот появился... понимаете?

Я кивнула. Три месяца для нее долго?

— А сейчас самоизоляция, и он пришел ко мне. Что мы с ним будем делать? Нужно же о чем-то разговаривать, а не только... понимаете?

Я кивнула. Сегодня особенный день: сегодня все говорят, что секс не главное.

— Он увлекается Манном, мне нужно, чтобы нам было о чем говорить, понимаете? «Буквоед» закрыт, сегодня всё закрыли, магазины, рестораны, всё. Улица пустая, всё вымерло. Где мне взять Манна? А у вас, соседи сказали, — книги.

Наконец-то я поняла. Конечно, я могу отдать ей Томаса Манна.

— Вы прочитайте «Будденброки», это классический роман о семье, вам будет интересно. А вот «Иосиф и его братья» — довольно сложное произведение... Погодите, а может быть, ваш друг читает Генриха Манна? «Молодые годы короля Генриха IV» или «Зрелые годы...»? Генрих Манн тоже есть, светло-серый, в восьми томах. Очень интересно, про королей, не оторветесь...

— Я подсмотрю, какой Манн, и зайду. Вы молодец, ничего не работает, а вы открыты...

Что она имела в виду? Что все боятся вируса и не открывают двери, а я открыла, или что я открыта к людям и готова отдать ей любого Манна, которого она пожелает?

Я услышала звук разбивающейся тарелки.

— Кто приходил? — по-хозяйски спросил Маратик, собирая осколки.

Уронил гренки на пол! Наврал, что он официант? Хотя я своими глазами видела его в «Фартуке» в переднике и с подносом.

— За каким-нибудь Манном... Томасом или Генрихом.

Мы посмотрели новости: в городе объявлен режим самоизоляции. Все закрыто. «Фартук» закрыт, Маратику не нужно на работу.

Маратик улыбнулся:

— Отличный режим: никто не работает, все едят. Мне нравится.

Неужели он не чувствует, как это страшно: улица Рубинштейна пустая, как будто война, комендантский час... В пьесе «Мой бедный Марат»: блокада, темень, бомбежки, страх, девочка Лика одна в полуразрушенной квартире на Фонтанке.

— Как в пьесе «Мой бедный Марат»: блокада, темень, бомбежки, страх, девочка Лика одна в полуразрушенной квартире на Фонтанке, к ней приходит Марат, и дальше они уже вместе... Это совсем рядом было, может, в соседнем доме, — сказал Маратик.

Если бы в окно постучали, я бы выглянула, а там — обезьяны или пришельцы, я бы меньше удивилась. Маратик дословно повторил то, что я произнесла про себя. Он что, читает мои мысли?

— Ты здесь одна? Страшно, когда стреляют? Дом разрушенный... — процитировал Маратик и пояснил: — Я два раза видел спектакль «Мой бедный Марат», один раз в ТЮЗе, другой в Комиссаржевке. ...Возьмешь к себе бедного Маратика? Можно я самоизолируюсь у тебя? Если тебя смущает, что ты ничего обо мне не знаешь, то ведь и я ничего о тебе не знаю.

Я иногда обращаю внимание на маленьких детей, как они знакомятся на пляже или в песочнице: скажут, как зовут и сколько лет, и начинают играть. Мы с Маратиком быстро, как дети в песочнице, рассказали о себе. Я — 23 года, окончила английское отделение филфака Герцена, учусь в магистратуре, переводчик с английского и финского, финский учила в финской школе на Большой Конюшенной. Маратик — 25 лет, официант в «Фартуке», у Маратика однокомнатная квартира в Купчине, где, кроме Маратика, живут его жена, ребенок и друг жены, Маратик спит с ребенком на кухне.

Я честно рассказала, а Маратик соврал! Нет у него никакой кухни в Купчине, жены, друга жены и ребенка.

— Я не врал, а придумал образ. ...Вот тебе несколько вариантов на выбор: я сломлен несчастной любовью, за мной гонятся кредиторы, я совершил преступление и скрываюсь от правосудия... Выбирай, какого меня ты хочешь. ...Ладно, я скажу правду: в принципе у меня все прекрасно, но в данном случае кое-что может сложиться не так прекрасно или даже плохо. Я тут нечаянно много проиграл в покер, и теперь они требуют вернуть долг... Но я все понял, я изменился. Прежний Маратик не мог выбраться из порочного круга, прежний Маратик во многих аспектах застрял в детских комплексах. А теперь я... изменился.

Ага, понятно. Игрок. О «прежнем Маратике» говорит как о постороннем человеке. У него требуют долг, могут прийти за ним сюда, этого мне только не хватало. На всякий случай я показала лицом, что не хочу ничего знать о его карточных долгах.

— Мы подходим друг другу: тебе страшно, мне тоже страшно, — убеждал Маратик. — У нас с тобой уникальные отношения: я тебя люблю без сексуального подтекста, я полюбил тебя за то, что ты громко поешь, я люблю тебя, твою сущность.

Маратик сказал «я тебя люблю», и я заплакала. Вчера плакала первый раз в жизни, сегодня второй, как будто мне понравилось плакать. Просто все разом на меня обрушилось: я думала, что с СН начну другую жизнь, потом подумала, что без СН начну другую жизнь, но какая она, моя другая жизнь? Не спать, бояться, что мы все умрем. Здесь мне страшно, вернуться к СН я не могу, вернуться к отцу не могу, некуда человеку пойти...

Я плакала, Маратик скорчил смешную рожу и не стал расспрашивать, что да как.

— Ладно, я пойду, пока не лишили свободы передвижения. Как у нас с туалетной бумагой? Британские ученые открыли, что смертельный вирус не опасен, если есть рулонов пять в запасе. ...Пять рулонов есть? Отлично, мы полностью контролируем ситуацию. Сиди тут, никуда не выходи, охраняй туалетную бумагу. Прилечу сегодня ровно в семь, но не раньше пятницы.

Мягко объяснила Маратику: он читает мои мысли, знает пьесу «Мой бедный Марат» и цитирует Карлсона, но прилететь ко мне на самоизоляцию — плохая идея. Невозможно по многим причинам: мы чужие люди, я ненавижу бардак, у меня один диван. И даже если он прилетит с диваном, все равно — нет. Но я буду рада как-нибудь увидеться.

Может быть, мы с ним когда-нибудь случайно увидимся, но скорее, нет.


...Больше всего на свете хочу, чтобы мама сказала мне, что всё будет хорошо. Или отец. Лучше бы они оба сказали, что все будет хорошо. Когда я ушла из дома к СН, отец впервые со дня развода позвонил маме. Думал, что она его поддержит, но мама возразила: «Каждому нужно когда-то начинать взрослую жизнь».

Мама не говорила мне, что взрослая жизнь — это одиночество и текущий кран.

**Цитата дня:**

Да, он подарит им три тысячи фунтов: это щедро, благородно. Они будут вполне обеспечены. Три тысячи фунтов! И столь внушительную сумму он может отдать, не причинив себе сколько-нибудь заметного ущерба!

*«Чувство и чувствительность»*

Кучи книг на полу меня бесят. Если бы человек без ОКР нашел книги на помойке, то мог бы прекрасно жить в книжном бардаке годами. Но человек с ОКР стремится упорядочить мир вокруг себя на следующий же день.

Книги из чемодана разложила на полу, протерла губкой, аккуратно уложила обратно в чемодан. Оставила чемодан открытым, чтобы любоваться книгами, которые я положила сверху: Генри Джеймс (три тома, ура!), «Невыносимая легкость бытия», пьесы Мольера, пьесы Шварца, «Возвращение в Брайдсхед», «Ночь нежна»... Это самые любимые, а просто любимые внизу, под ними: «Женщина французского лейтенанта», «Бремя страстей человеческих», «Театр», «Замок Броуди», «Черный принц». Моя любимая мысль в «Черном принце»: как утешительно, что наша душа — тайна для всех, без исключения.

За это время СН прислал три эсэмэски: «Будущего больше нет. Нам предстоит жалкое существование в виртуальной реальности. Съемки сериала остановлены», «Аванс я получил, но кто теперь заплатит за почти готовый сценарий?» и «На твоей почте письмо».

Открыла почту, увидела начало письма: «Дорогая девочка, прочитал твой роман. Первая книга может быть г...», отпрянула в панике, закрыла почту. Первая книга может быть какой? На «г». Графоманской, грандиозной, говном?..

Кружила вокруг, боялась дочитать, боялась, что письмо исчезнет и я никогда не узнаю, что такое «г».

Написала карандашом на обложке «Черного принца»: «Если всё плохо, то это хорошо, я смогу сделать лучше». Подумала и дописала: «Мнение СН не истина в последней инстанции». Хотя, если честно, я считаю, что мнение СН — истина в последней инстанции.

Когда я в сентябре поступила на курсы литературного мастерства (начинать учиться в сентябре — хорошая примета), я была немного разочарована. Я люблю учиться и старательно записывала за писателями, ведущими семинары: правила построения сюжета, поэпизодный план романа, протагонист, конфликт, развитие характера главного героя, побочные сюжетные линии... Чем более профессионально об этом рассказывали, тем больше мне хотелось спросить (я бы никогда не произнесла это вслух, но подумать-то можно?): если вы все про это знаете, почему вы никому не известный писатель?

А потом к нам пришел СН — всего на несколько семинаров, но это было совсем другое!.. Это было счастье! Я восхищаюсь его книгами. Но дело не в том, что он известный писатель и я восхищаюсь его книгами. Он настоящий. Говорит совсем не гладко, не как преподаватель, а как живой гениальный человек.

СН говорил мне: «Не обольщайся, научиться писать невозможно, талант или есть, или его нет». Сказал, что никто не знает, кто талантлив, кто станет знаменитым, и я подумала «может быть, я?». Сказал, что постарается принести мне скромную пользу — прочитать и не обидеть. Я боялась спросить, когда прочитает, только смотрела таким специальным взглядом, одновременно жалким и безразличным, как будто мне ничего от него не нужно. И вот прочитал.

Я дописала на обложке: «Лика, держись!» — и открыла письмо.

СН написал:

«Дорогая девочка, прочитал твой роман. Первая книга может быть гениальной, может показать, что автор безнадежный графоман, а может, что „подает надежды“. Не знаю, обрадуешься ли ты: зная тебя, не удивлюсь, если ты в глубине души надеялась на „гениально“. Тогда мужайся: ты „подаешь надежды“. Ты очень стараешься не писать жэпэ...»

— АААА! Надежды! Подаю!

«Ты очень стараешься не писать жэпэ, ты хочешь писать „настоящую литературу“, но, во-первых, тщетно, а во-вторых, желания и старания писателя не должны быть так заметны. Не пиши „прозу“, ты же не хочешь быть как Журден, не пиши как мужчина, не пиши как женщина, не пиши как „писатель“, пиши как ты.

Что касается главной любовной линии: беспомощно. Никогда не описывай, как именно человек любит, это полная беспомощность. Любовь — это исчезновение страха смерти, когда в твоей жизни появляется нечто, что больше тебя самого. Если ты спросишь, в чем экзистенциальный оттенок в „Джейн Эйр“ или „Ребекке“, я в тебе разочаруюсь, подумай сама.

Дальше. Попробуй сформулировать, зачем ты насочиняла столько событий и характеров. Излишняя щедрость — признак начинающего, мы говорили об этом на семинаре. Девочка, ты почему не слушаешь и не слушаешься? Финал в целом неплох, но вот слова одного из великих: „Начинайте ближе к концу". Подумай, что это означает применительно к твоему роману. Ты ведь понимаешь, что это не имеет ничего общего со школьным требованием „выразить главную мысль"?

Но есть и хорошие новости: одно, исключительно важное качество настоящего писателя у тебя точно есть. Это твоя склонность к самоанализу, а значит, психологическая чуткость к своим персонажам. Это немало. Не буду говорить „ты лучшая", потому что пока это неправда. Но ты имеешь шанс. Вот видишь, как серьезно я отношусь к твоему тексту. Не забудь про домашнее задание — расковырять прыщи. Крепко обнимаю».

Я имею шанс. У меня точно есть склонность к самоанализу и чуткость к персонажам. Книжка не получилась. В целом это ура или не ура? Скорее, ура, чем не ура.

Домашнее задание делать не буду. СН говорит, что настоящий писатель не стесняется написать о себе или персонаже что-то стыдное, как будто расковырять прыщи на людях. Если он пишет стыдное о персонаже, значит, в нем самом это есть. Не буду делать домашнее задание.

Жэпэ — это женская проза, насмешливо. СН считает, что расхожая фраза «Нет женской и мужской прозы, есть проза плохая и хорошая» — это глупость, женщина всегда пишет жэпэ. Конечно, он никогда не говорил этого публично, это сексизм. Но мне говорил: женщина всегда пишет жэпэ, жэпэ может быть плохой, хорошей и великой. «Джейн Эйр», вся Джейн Остен, «Эпоха невинности», «Ребекка» — все это великая жэпэ.

Я много раз читала «Ребекку» и каждый раз думала — здесь что-то не так... А как же секс? Как героиня может считать себя непримечательной, незначительной и недостойной своего блестящего мужа, ведь у них же есть секс! Ее муж, какой бы он ни был блестящий, хочет ее, он зависит от нее. Ведь секс так устроен, что мужчина зависит от женщины.

Но теперь я понимаю: секс ничего не значит. Героиня может считать себя незначительной и ненужной. Секс просто есть, но ничего не значит.

Рядом с СН я чувствовала себя героиней «Ребекки». Со мной произошло в точности то же, что с ней. В начале отношений героиня была искренней и непосредственной, во время свадебного путешествия еще кое-как держалась, а когда муж привез ее в дом, где он жил раньше с Ребеккой, начала терзаться своим несовершенством. Когда мы с СН просто встречались и разговаривали, я нисколько его не стеснялась: наверное, думала, что он рассматривает меня как забавного ребенка... ну, или просто как меня, и не задумывалась, прежде чем засмеяться или сказать какую-нибудь глупость. Я еще была собой, но, оказавшись у него дома, в его жизни, я решила, что теперь должна вести себя так, чтобы не разочаровать его, а, наоборот, сохранить и удержать... Рядом с СН я думала, что я должна делать и говорить и чего не должна, как застенчивый хорек. Почему хорек? Ну, жалкий такой, неловкий, скованный, не знает, куда лапку поставить...

А Катька сыграла роль миссис Дэнверс, жуткой экономки, которая гнобит героиню и не дает ей поверить в себя и в любовь мужа, рассказывая, как прекрасна была Ребекка. То есть у Катьки были совсем другие мотивы, она полюбила меня и старалась поддержать, как умеет: рассказывала гадости про актрису. Но чем больше она говорила «плохого», тем больше я чувствовала себя незначительной... незначащей... в общем, жалким хорьком.

Катька с презрительной гримасой говорила: «Она считает себя красавицей». Но почему бы актрисе не считать себя красивой, если она красивая? В детстве я рисовала себя как длинный нос на кривых ножках, но в детстве все считают себя некрасивыми. Теперь я взрослая и знаю: я нормальная, есть женщины хуже меня, но есть и лучше. Актриса лучше меня...

Катька сказала: «Она кормила папу по часам какими-то злаками», и мне тут же стало стыдно: она заботилась о его здоровье, а я не знала, что у него проблемы со здоровьем. СН прекрасно выглядит, в нем как будто заведенная пружина, как у пантеры, готовой к прыжку.

Катька сказала: «Они ночами гуляли по Невскому с карманами, полными хлеба, кормили лошадей и читали вслух Шекспира». Катька имела в виду, что это глупо, а я думала: здорово, что у них была общая любовь к Шекспиру и лошадям, а вот со мной неинтересно гулять по Невскому, читать Шекспира и кормить лошадей, я даже не знала, что по Невскому ночью ходят лошади, и Шекспира наизусть не знаю. Актриса красивая, заботливая, интересная, взрослая... к тому же она — актриса, а у меня кроме молодости ничего нет.

Я просила Катьку ничего не рассказывать, но она же ребенок. От ее рассказов я еще больше сжималась, как будто не решалась быть собой, говорила какие-то тусклые правильные вещи, ведь все, что я скажу, будет неинтересным. Казалось бы, со временем все должно было стать лучше. Но все становилось хуже. А секс здесь вообще ни при чем.

СН рассказывал про себя что-то смешное секретное, например, что иногда ночью пишет в поиске свою фамилию плюс «люблю». Читает и наслаждается тем, как его любят читатели. Я бы хотела рассказать в ответ что-то про себя, но у меня нет смешных секретов, да и никаких нет, я как Фанни из романа Айрис Мердок «Дикая роза», у нее не было секретов, она была женщиной без таинственной глубины.

Катька злорадно сказала: зря актриса призналась СН, что принимает какие-то успокоительные. Оказывается, СН страшно боится всего такого: одна из его женщин угрожала выброситься в окно, у другой были панические атаки, у третьей тревожное расстройство. Я подумала: а если он узнает, что у меня ОКР, хоть и в легкой форме?

У всех Катькиных (да и моих) друзей родители развелись и живут в новых браках. Катька говорила, что все новые жены пытаются вытолкнуть старых детей на обочину жизни, а я никогда не вытолкну ее на обочину. А однажды сказала, что раньше, оставаясь вечером дома, думала, что где-то интересней, а она, как дура, киснет дома, но теперь ей кажется, что самое правильное для нее место — дома, со мной. Как будто я подушка, на которой она может уютно прилечь. Я скучаю по Катьке, а она, наверное, скучает по мне.

...Так, ладно. Бунин коричневый, черный Конан Дойл (гладила и нюхала по очереди каждый том, пахнет детством), коричневый Шолом-Алейхем (мечтала быть Рейзл из «Блуждающих звезд»), желтый Альфонс Доде, «Тартарена из Тараскона» не буду перечитывать никогда, но хорошо, что он у меня есть. Оранжевый Мопассан оттеняет Шекспира в светлой суперобложке в черную полоску. Шекспира в угол, оранжевого Мопассана в угол, в нижнюю стопку: не хочу перечитывать даже «Милого друга», наверное, оттого что в детстве зачитала до дыр, Мопассан у всех первый учитель сексуальной жизни.

Секс — это когда нужно быть кем-то не собой. Более красивой, чем ты есть, менее стеснительной, не такой эгоистичной... нужно стараться не показать, что во время секса ты о чем-то думаешь.

С любовью у меня всегда было лучше, чем с сексом. Моя любовная жизнь была бурная, с детского сада влюблялась непрерывно, в школе была всегда влюблена: любая влюбленность была бурей, но ведь и покупка новой куртки была бурей.

Секс у меня не постоянная часть жизни, а когда есть, когда нет.

Куприн голубой, пять томов. Решила немного почитать «Поединок». ...А-а-а! Бальзак коричневый! Вот что я мечтаю перечитать с первого до последнего тома! Бальзак коричневый, Бальзак зеленый, Бальзак красный — у меня три собрания сочинений, три! Кто прочитал пятнадцать томов Бальзака по три раза (дома у меня был коричневый), тот знает, что самое важное в любви — деньги.

...К вечеру книги были сложены в идеально ровные стопки, расставлены рядами на полу на идеально равном расстоянии. Душа моя радуется.

✓ благородных личностей под окном — две

В половине одиннадцатого пришли за Джеком Лондоном. Тот самый алкоголик, ночной покупатель водки, с товарищем, вторым алкоголиком, которому нужны «Белый клык» и «Морской волк» (ну вот, а я сомневалась, забирать ли Джека Лондона с помойки). Поздравляю тебя, Лика, твоя квартира превратилась в библиотеку для местных интеллигентных алкоголиков.

Второй алкоголик сказал, что у каждого человека есть список книг, которые сделали его собой. «Белый клык» и «Морской волк» сделали его тем, кто он есть. Когда такой список составляет успешный человек, это любопытно и поучительно. Но как реагировать, когда местный алкоголик говорит, что Джек Лондон сделал его тем, кто он есть? Алкоголиком, ночным покупателем водки на Рубинштейна...

Спросила, что еще в его списке.

В списке второго алкоголика: «Три мушкетера», «По ком звонит колокол», «Гекльберри Финн», «Моби Дик», «Три товарища», «Робинзон Крузо», «Путешествие Гулливера». Прекрасный список, прекрасная личность: благородство, самопожертвование, дружба... подвески.

Поговорили о том, кто из мушкетеров нам больше нравится: мне больше всех нравится Атос, я была уверена, что ему тоже. Всем нравится Атос.

— Нет. Не Атос. Атос вроде бы самый благородный, но ты сама подумай: его любимая девушка что-то мелкое украла, и что? Он тут же ее заклеймил. За один плохой поступок! Человек имеет право на ошибку. Достоевский это хорошо понимал. «Преступление и наказание» читала?

Поговорили об Атосе. Я сказала, что на самом деле Атос — удивительный персонаж: это человек с модными психологическими проблемами. У него психологическая травма: он заклеймил миледи, и это повлияло на его отношения с сыном, виконтом де Бражелоном. Второй алкоголик согласился: Атос мрачнеет, когда пьет, это важный показатель — как человек пьянеет.

Поговорили о Ремарке: я-то думала, герои Ремарка пьют кальвадос, но оказалось, что в «Трех товарищах» пьют коньяк и ром, а кальвадос пьют в «Триумфальной арке». В романах «Черный обелиск» и «Жизнь взаймы» пьют водку.

Второй алкоголик спросил про мой список, что сделало меня собой. Я задумалась... Все. Все, что я прочитала, сделало меня мной. ...А вообще, это интересный вопрос, и как тогда быть с Катькой? Ее сделала собой «Пятьдесят оттенков серого», единственная книга, которую она прочитала при мне?

Отдала второму алкоголику сиреневого Джека Лондона, восемь томов, 1954 года издания.

# НОЧЬ С 29 НА 30 МАРТА. ПЛАКВЕНИЛ

✓ корвалола, негрустина, успокойки — по две упаковки

Mожет быть, мне отключить ватсап, мессенджер, Фейсбук, Инстаграм? У меня есть друзья, которые придерживаются модных взглядов независимости от соцсетей: не хотят жить для красивых картинок в Инстаграме и лайков в Фейсбуке. Я хочу отказаться от сетей (у меня, как у всех, от Инстаграма возникает the feeling of meating out, как будто все успевают делать столько крутых вещей, а я нет), но пока не могу решиться. Но я решусь, если мама с отцом продолжат присылать мне информацию каждый час.

Вечером отец прислал эсэмэску: «Купи интерферон!»

Вслед еще одну: «Давай не будем ссориться в такой тяжелой ситуации. Помни, что вирус живет не только на ручках дверей, вирус живет везде. Рассчитывайся за продукты онлайн, помни, что пакеты с продуктами нужно складывать за окно и держать их там три дня, потом протереть все упаковки в перчатках, перчатки продезинфицировать и обдуть феном, вымыть не только овощи и фрукты, но и молочные продукты».

И еще одну: «Болезнь протекает в два этапа. На первом этапе нужны интерферон, калетра (лопинавир, ритонавир или ремдесивир). Затем антималярийный препарат гидроксихлорохин (плаквенил). Для вентиляции пораженных легких спать на животе, стоять на четвереньках. На втором этапе нужен ИВЛ. У одного моего знакомого есть аппарат ИВЛ, обещал дать, если понадобится».

И от мамы: «Плаквенил неэффективен».

И еще от мамы: «Не тряси одежду, в которой ты выходила в магазин. Молекулы вируса плавают в воздухе до трех часов и могут застрять в носу. Вирус держится на тканях три часа, на дереве четыре часа, на картоне двадцать четыре часа, на металле сорок два часа, на пластике семьдесят два часа. Чем более ограничено пространство, тем больше концентрация вируса».

И еще от мамы: «В Италии врачи вынуждены выбирать, кого спасать, спасают молодых».

Оба они, и отец, и мама, пугают меня до дрожи, у меня дрожат губы, дрожат нос и щеки, но я пишу обоим: «Да, я поняла, не волнуйся, я буду мыть мороженое». Отец и мама думают, что я не одна. А я здесь, на Рубинштейна, одна. Не сплю ночами, как летучая мышь.

Иногда отец просто пересылает мне что-то с новостных сайтов: «Вы должны мыть руки до и после прикосновения к слизистой оболочке, еде, замкам, ручкам, переключателям, пульту дистанционного управления, мобильному телефону, часам, компьютерам, столам, телевизору и при использовании ванной комнаты. Вы должны увлажнять сухие руки от такого большого мытья, потому что молекулы могут прятаться в микротрещинах. Также имейте короткие ногти, чтобы вирус там не скрывался».

...После вечера идет ночь. Ночь, когда лежишь без сна и слушаешь, как капает вода в кране, — самое подходящее время для глупых бесплодных размышлений: что во мне не так и какое теперь это имеет значение, раз мы все умрем.

Капает вода из крана. Не сплю ночью, как летучая мышь. Летучая мышь не дура, понимает — заснешь, тебя тут же слопают. Получается, что вся моя жизнь превратилась в страх: ночью я боюсь, а днем боюсь, что буду бояться ночью.

Ночь летучей мыши печальна и тиха.

Днем улица Рубинштейна тихая и безлюдная, все закрыто, и чужих больше нет, но ночью выходят свои, местные. Бродят тенями, наркотики продают. Будь я посмелей, я бы попробовала успокоить себя чем бог послал... травой для начала. Будь я посмелей, я бы от этого ночного одиночества начала курить, но я боюсь марихуаны как огня, еще больше, чем алкоголя. Во мне очень сильный страх потерять контроль над собой.

Я бродила по Рубинштейна, от Пяти углов до Невского, от Невского до Пяти углов... шла домой и делала вид, что ложусь спать, закрывала глаза и начинала считать капли. Пыталась разложить свой страх по полочкам. Спрашивала себя: ну, скажи, трусиха бессмысленная, чего ты боишься? Тебе ведь не страшно ходить по ночной улице Рубинштейна, по пустой набережной Фонтанки? ...Не страшно.

Мне не страшно ночью вынести мусор на помойку Толстовского дома, хотя для этого нужно пройти по дворам. Я не боюсь ходить по ночным дворам. По ночным дворам движутся тени, теней я не боюсь. Но заснуть в квартире на первом этаже невозможно страшно! Заснешь, расслабишься, потеряешь контроль и вдруг проснешься от стука в окно, а там, в окне, чье-то лицо.

Купила в круглосуточной аптеке в соседнем дворе корвалол, негрустин и успокойку, обещавшие мягкое засыпание.

А вот еще одна эсэмэска от мамы: «Имей в виду, в регионе Лацио скончался мужчина, 34 года, болезнь развивалась стремительно, до заражения был абсолютно здоров». Мама — мастер полуденного ужаса. «Полуденный ужас» — это предчувствие кошмара, которое возникает у зрителя при внешнем благополучии. У нас никто не умирает, у нас ничего страшного не будет, зачем мне иметь это в виду, зачем?..

От корвалола у меня началось сильное сердцебиение, негрустин и успокойка не подействовали.

Когда меня никто не видит, я делаю странные вещи, например обнимаю деревья: прижмусь ухом и слушаю, что там внутри. Сейчас я зачем-то взяла голубой том Куприна, открыла, прочитала: «...И так как у Ромашова была немножко смешная, наивная привычка, часто свойственная очень молодым людям, думать о самом себе в третьем лице, словами шаблонных романов, то и теперь он произнес внутренне: „Его добрые, выразительные глаза подернулись облаком грусти...“»... Закрыла «Поединок», положила том в стопку, к остальным томам, встала на колени, положила голову на Куприна и стала слушать Куприна, как дерево.

...Больничная палата. Вокруг сердечные мониторы, кислородные баллоны, капельницы. Я кричу: «Моя мама здесь, она молодая, спасите ее!» Выхожу в больничный коридор, отец лежит в коридоре, ему нужен аппарат ИВЛ, но ИВЛ на всех не хватает, врач говорит: «Мне самому нужен ИВЛ», отец задыхается, я соскальзываю в темноту и слышу: «Я выиграл — и привез тебе подарок».

Это Маратик. Маратик стучал в окно и говорил: «Я выиграл — и привез тебе подарок». А я, оказывается, заснула, сидя на полу, головой на голубом Куприне.

— Ты самая приятная компания, в которой я могу самоизолироваться, — привычно натягивая на себя мой розовый халат, объяснил Маратик. — Давай сразу договоримся: в магазин ходишь ты, в маске и перчатках.

— А ты? Ты боишься заболеть?

— Я?.. Я не заболею, — высокомерно хмыкнул Маратик. — Я хочу, чтобы ты ходила в магазин, потому что мне самому лень.

**Цитата дня:**

— Я? ты находишь? Я не странная, но я дурная. Это бывает со мной. Мне все хочется плакать. Это очень глупо, но это проходит, — сказала быстро Анна и нагнула покрасневшее лицо к игрушечному мешочку, в который она укладывала ночной чепчик и батистовые платки.

*«Анна Каренина»*

✓ сатурация — 98
✓ авантюристов на моей жилплощади — один

Маратик приехал на грузовичке. Привез книжные стеллажи, сумку и два пакета. Стеллажи — подарок мне. Выиграл в покер и купил стеллажи на Авито. В сумке его вещи, в пакете запас шоколадных батончиков и чипсов, в другом пакете маски, садовые перчатки, термометр, пульсоксиметр.

Пульсоксиметр — прибор для измерения сатурации. Сатурация — содержание кислорода в крови. Маратик сказал, что это необходимая вещь при эпидемии: если здоров, то сатурация 99 или 98, в крайнем случае 97. Маратик странный: не верит в вирус, смеется над моими страхами, при этом собирается измерять себе и мне температуру и сатурацию.

Мы разделили стулья: каждому из нас принадлежит по два стула. На спинку стула можно вешать одежду, на сиденье складывать. Разделили диван: на половине Маратика клубок из пледа и простыней, моя половина дивана застелена идеально, без единой складочки.

Со своей стороны дивана Маратик поставил тумбочку, на тумбочке чипсы и шоколадные батончики, а я со своей стороны дивана поставила шкафчик. В шкафчике мои любимые книги из тех, что нашлись в чемодане: «Ночь нежна», «Черный принц» «Возвращение в Брайдсхед», «Обещание на рассвете». А также мои запасные книги: это книги, которые я ужасно хочу перечитать, но откладываю на потом, как собака зарывает косточку, чтобы когда-нибудь откопать и перечитать: «Обрыв», «Записки Пиквикского клуба», «Убийство викария», «Сандро из Чигема», «Сто лет одиночества»... и «Двадцать лет спустя», почему бы и нет?.. Иркина квартира потихоньку превращается в мой дом.

...Не хочется думать о том, что у Маратика на тумбочке чипсы. Я понимаю, что нормальные люди живут в беспорядке, а не организовывают мир вокруг себя, как я. Но чипсы?..

Не буду думать о том, что Маратик собирается есть чипсы в кровати. То есть на диване, но все равно — он собирается есть в кровати?! Не буду об этом думать.

К вечеру вещи Маратика, которые я аккуратно сложила на стульях, сами собой перекочевали на пол и улеглись там кучами. Это проблема. Я не могу жить в беспорядке, не могу видеть несимметричное, люблю пустые поверхности, всегда все запихиваю в ящики. Я не псих и не лезу в гостях в чужие шкафы, чтобы сложить белье в идеальные стопки, не бросаюсь в спальню хозяев и не собираю одежду с пола, не расставляю на чужих кухнях чашки идеальными рядами, но у меня дома, на моей территории, все должно быть идеально. Как я смогу жить в этом бардаке, чипсах и шоколадках?!

Я мучилась этим вопросом до ночи, а когда мы легли спать, Маратик на своей половине дивана с пакетом чипсов, а я на своей, вопрос решился сам собой: легко. Я легко смогу жить в бардаке. Главное — решить, что я всего этого не вижу. Не вижу клубка простыней на другой половине дивана, не вижу куч одежды на полу и чипсов не вижу. И крошки от чипсов меня не раздражают. Я же не псих и не требую симметрии от мира в целом.

— Слушай, балда, а ты понимаешь, что у тебя в руках золотая жила? ...Думай, балда!.. Ладно, дядя думает за тебя. Мы с тобой — где? Оглянись! Мы на Рубинштейна, самой модной улице города. В Довлатовском доме. На Рубинштейна — что? В Довлатовском доме — что?.. Правильно, поток туристов. У нас помещение на первом этаже. Вход к нам прямо с улицы. С улицы — прямо к нам, в зал с камином. Понимаешь, балда?.. Я буду называть тебя балдой, это теперь твое имя.

Маратик лежал рядом, жевал чипсы и шоколадные батончики и рассуждал: у нас в руках золотая жила — помещение с камином на первом этаже на самой модной улице города.

Я все еще не понимала: и что? Помещение можно сдавать в аренду. Когда закончится карантин, конечно.

— Давай играть, — сказал Маратик.

Маратик-Карлсон, взялся неизвестно откуда, прилетел к одинокому Малышу и говорит: «Давай играть». Карлсон, между прочим, еще более одинок, чем одинокий Малыш, они оба самые одинокие на свете.

— Во что играть?

— Ну, не в покер же с тобой играть и не в доктора. Давай играть в магазин. Не зря же я тут с тобой корячился, книги в такси грузил, до сих пор спина болит и хвост отваливается, теперь давай играть! Предлагаю играть, что у нас книжная лавка. У нас в руках золотая жила. ...У нас камин, — значительно сказал Маратик. — Камин принесет нам успех. Кресла также принесут нам успех. Покупатели скажут: «Ах, какая прелесть посидеть с книгой у камина в Довлатовском доме», усядутся с книгой в розовое кресло или в зеленое. Голубое кресло будет всегда занято кем-то из постоянных непокупателей.

— Непокупателей? Кто такие постоянные непокупатели?

— В книжной лавке всегда есть постоянные непокупатели. Они приходят поработать, пообщаться, ничего не покупают, они создают имидж. ...В голубом кресле у нас всегда будет сидеть друг Довлатова. В нашем доме живет парочка дедов, я видел одного, с палочкой, еще один шаркал по двору. Почему бы одному из дедов не быть школьным другом Довлатова? Посмотрим и выберем. Это должен быть бодрый жуликоватый дед... или уже совсем в маразме, чтобы ничего не помнил. Представь, дед приходит к вечеру, когда идет поток покупателей, усаживается в голубое кресло...

— У меня... у нас усаживается? И сидит?

— Сидит, но небесполезно для нас. Нам зачем, чтобы он бесплатно сидел? Покупатели будут рады проникнуться духом Довлатовского дома, расспросить деда о Довлатове. Потом что-нибудь купят, им будет неловко уйти без покупки. Дед подпишет купленные книги: «С любовью от д. Довлатова». Не от деда Довлатова, а от дома Довлатова. Ну что, гениально?

Маратик приподнялся на локте. У него так возбужденно блестели глаза, и он излучал такую уверенность, как будто всерьез придумывал бизнес.

— В центре зала мы поставим шкафчик, там будет письмо Довлатова, раритет.

Я спросила, какой шкафчик, чтобы не спрашивать, откуда у нас возьмется настоящее письмо Довлатова.

— Письмо я напишу. Не бойся, законопослушная балда, мы ведь не собираемся продавать фальшивку. Письмо будет лежать в шкафчике для создания атмосферы. За стеклом, чтобы не лапали... Раритет все-таки, офигенных денег стоит.

Мы обсуждали, на какой бумаге напишем письмо, как назначим жуликоватого деда школьным другом Довлатова, смеялись так, что я начала икать, а Маратик скатился с дивана и продолжал смеяться на полу.

— Нам обоим плохо, давай играть, — сказал Маратик с пола. — Тебе плохо, иначе ты бы не сидела тут одна, как сыч. Мне тоже плохо, иначе я бы не пришел к тебе на самоизоляцию. Я не расскажу тебе, почему мне плохо, и ты мне не расскажешь.

Откуда Маратик знает, что внутри я всё время плачу?.. Но ведь и он плачет внутри и не говорит. ...Откуда я знаю? Ну, я же лежала рядом с ним, пока он от смеха не упал на пол, в нем были слезы, я чувствовала.

— Ницше говорил: «Нам необходимо искусство, иначе мы погибнем от правды». Вот моя идея: нам плохо, мы смеемся... Ну как?

Маратик как-то подозрительно образован. Может быть, Маратик — аспирант кафедры философии?

Идея Маратика не такая глупая, можно сказать, хорошая идея. Я же не могу все время плакать! Буду как яйцо в мешочек, двухслойная, сверху посмеюсь, внутри поплачу. Я люблю смеяться, когда мне плохо, мне палец покажи, я засмеюсь.

— Идея супер. Вообще-то, это идея Ницше, не твоя.

— Ницше и моя. Кто придумал посадить в лавке школьного друга Довлатова?

И мы начали играть. Для начала нужно придумать, чем мы будем отличаться от других книжных магазинов. В городе есть интеллектуальные книжные магазины: «Порядок слов» на Фонтанке, «Все свободны» на Маяковского... А мы, а у нас?..

— Наша фишка — домашняя книжная лавка. Сейчас тренд — всё домашнее, атмосферное. Сейчас удачное время, чтобы начать: карантин.

— Всё закрыто? — понимающе спросила я.

— Дело не в том, что всё закрыто, а в том, что люди закрыты. В обычной жизни всё происходит быстро: выходишь из дома, бежишь к машине, прыг в машину и фьють... вечером приехал спать. А сейчас у всех жизнь вокруг дома: человек вышел в магазин или в аптеку, спешить некуда, идет медленно, рассматривая, что тут у него в околотке, — а тут мы. К тебе вся улица Рубинштейна ходить будет.

Я сказала, что у нас огромное преимущество перед другими книжными магазинами, вообще перед всеми бизнесами: аренда. Книжная лавка находится у меня... у нас дома. Не нужно платить аренду.

Маратик кивнул:

— А когда всё откроется, наша книжная лавка станет модной приметой улицы Рубинштейна. Представь, как народ к нам повалит... Во всех ресторанах будут висеть объявления с твоим портретом: «Пришел в ресторан, загляни в книжную лавку» или «Поговори о любимой книге в книжной лавке в Довлатовском доме». На этой улице пятьдесят три ресторана. ...А туристы? Когда всё будет как прежде — Рубинштейна кипит, поток туристов... Каждый сможет поговорить с тобой о любимой книге и получить от тебя личную рекомендацию. В новой реальности личное общение будет самым ценным, самым востребованным. А у тебя есть... в тебе что-то есть... когда человек с тобой разговаривает, ему кажется, что ты в него не плюнешь. Я имею в виду, что в тебе есть харизма, ты случайно не психотерапевт?

Я не хочу, чтобы мой портрет был во всех ресторанах. Или немного хочу?

— Ты обалдел?! Каждый сможет со мной поговорить? Я что, буду разговаривать с каждым?

— Ну, не бесплатно же, — успокаивающе сказал Маратик. — Я планирую зарабатывать приличные деньги. Продажа книг плюс сувениры для туристов «С любовью от дома Довлатова» за подписью деда. ...Все, кто тупо ходит в офис каждый день, будут завидовать, как прекрасно мы устроили свою жизнь: для нас «пойти на работу» означает выйти в соседнюю комнату. Мы будем сдавать книжную лавку в почасовую аренду. Наша лавка превратится в модное культурное пространство для презентаций. Можно каждый вечер сдавать, кроме понедельников, по понедельникам модные мероприятия не проводят. ...Утром будем сдавать кружкам и студиям, например студии вокала. Представь, как ты утром встаешь, а в зале уже кто-то распевается... Представила? Ха-ха.

...Маратик на своей стороне дивана шуршал обертками шоколадных батончиков, а я думала, что совсем недавно я была счастлива: у меня закончился испытательный срок.

СН пригласил меня пожить у него, поставив «испытательный срок» неделю. Он никогда никого не пускал домой, никто из его женщин не жил с ним. Поставил срок неделю, потом продлил до двух недель, потом продлил срок до сорока пяти дней. Называл меня «смотритель зоопарка», как будто их с Катькой нужно содержать в клетках и просовывать им сквозь прутья морковку.

За три дня до окончания «испытательного срока» я каждый день загадывала: если в семь вечера в доме напротив будут гореть три окна, или шесть, или девять, или кратно трем, то СН не отправит меня домой.

Катька говорила: «Он точно скажет „нет“, но у него бывает разное „нет“». Она имела в виду, что «нет» бывает разной степени категоричности. Может быть «нет, но все-таки может быть».

Когда сорок пять дней закончились, СН сказал «да». Он сказал «да»!

Он сказал «да», а я тут, на Рубинштейна, 23. Рядом со мной Маратик, шуршит чипсами в моем розовом халате, окрестные алкоголики приходят за Достоевским и Джеком Лондоном, соседи думают, что я торгую Томасом Манном с помойки (этой женщине все-таки нужен Томас Манн, я дала ей «Будденброков»), я играю в книжную лавку.

— Спишь? — Маратик толкнул меня в бок. — Если спишь, быстро просыпайся. Докладываю: температура нормальная, сатурация в норме. И вот что я думаю: в лавке должны быть современные книги. У нас есть все собрания сочинений, но я не уверен, что люди встанут в очередь за собраниями. Где нам взять современные книги? Новые поступления? Нам нужно подумать о расширении ассортимента, на одном Томасе Манне далеко не уедешь.

...Когда люди во что-то играют, они могут случайно заиграться, мы не заигрались?

Сегодня первый день игры, а книжная лавка уже кажется мне более реальной, чем реальная жизнь. Это потому что мы взаперти и никакой другой реальной жизни пока больше нет...

Нет, это потому что мамы давно нет рядом, отца приблизительно нет, СН больше нет, я одна.

С другой стороны, каждый человек один, не только я. Вот Маратик — лежит рядом со мной, держит меня за руку и тоже один. Думает о своем плохом, пьет из своей фляжки. Думает, я не знаю, что у него под подушкой фляжка с коньяком.

Никого не нашлось, кто был бы с нами, когда нам плохо, только он у меня и я у него. Как в сказке, где звери спасаются от дождя под грибом.

Кто там спасался под грибом? Муравей и Бабочка? Муравей увидел гриб и спрятался под грибом переждать дождь. Прилетела Бабочка, попросилась под гриб. Муравей пустил Бабочку под грибок, сидят вдвоем, дождь пережидают... Мы с Маратиком как Муравей и Бабочка под грибом.

— ...Не переживай, все как-нибудь устроится, можно буккроссинг организовать. ...Слушай, ты говорил, что тебе плохо, что у тебя плохо?

— А что у меня хорошо? Давай уже нахрен спать! Повернись, я подоткну тебе одеяло.

## СЛЕДУЮЩИЙ ДЕНЬ. КОРИЧНЕВЫЙ БАЛЬЗАК

**Цитата дня:**

— Просить бога, чтобы он смягчил сердце вашего отца, дело хорошее, — сказал Вотрен, подавая стул сироте. — Но этого мало. Вам нужен друг, чтобы он выложил все начистоту этой свинье, этому дикарю, у которого, говорят, три миллиона, а он не дает вам приданого. По теперешним временам и красивой девушке приданое необходимо.

*«Отец Горио»*

- ✓ первых покупателей — два
- ✓ проданных книг — три
- ✓ спрятанных от покупателей книг — одна
- ✓ выручка в кассе — 250 руб.
- ✓ высших образований на двоих — три с половиной

Поругались и немного подрались с Маратиком из-за названия книжной лавки.

Маратик придумал: книжная лавка «Чемодан».

Его аргументы: «С коммерческой точки зрения правильно назвать книжную лавку в Довлатовском доме по названию всем известной книги» и «Ты дура». Мой аргумент: «Пошло эксплуатировать имя Довлатова. Назвать книжную лавку в Довлатовском доме „Чемодан" все равно что назвать лавку „Довлатов"».

Его аргумент: «Название не в честь книги, а в честь чемодана с помойки».

Мой аргумент: «Все равно пошло».

Я придумала: «Свобода чтения». Не знаю, что я имела в виду. Просто «Свобода чтения» не так бессовестно эксплуатирует местоположение лавки.

— Ты о людях-то подумай, — сказал Маратик. — У людей примитивная реакция, люди радуются, когда им все понятно: вот Довлатовский дом, вот памятник, вот лавка «Чемодан». Ну, хочешь, назовем лавку «Зона»? Нет? Ну, ты сноб...

— А ты любитель дешевого хайпа. И ты сам сноб, считаешь, что все, кроме тебя, примитивные.

— Ну, я отчасти сноб, как любой человек из хорошей семьи с хорошим образованием. За мной три поколения искусствоведов, и у меня два с половиной высших образования.

— Ты официант.

У нас с Маратиком на двоих три с половиной высших образования, одно мое, два с половиной Маратика, одно из них наверняка философское. В «Фартуке» он заменял друга-дайвера, друг улетел на Бали. Возможно, Маратик врет.

...Вечером зашел сосед с третьего этажа за пьесами. Чуть полноватый солидный господин в красивой замшевой куртке. Я плохо определяю возраст людей, у меня есть три градации: «моложе меня», «как я» и «старше». Сосед был «старше», закутан в шарф по самые уши, использовал шарф вместо маски.

Я тоже закуталась в шарф, так мы и разговаривали, из-под шарфов, соблюдая социальную дистанцию в полтора метра, он у входа, я у стопки книг слева от окна.

Сосед слышал, что у меня книги («услышал от соседей, что у вас книги»), и прочитал объявление: «В любой непонятной ситуации идите к нам, в книжную лавку „Чемодан"». Оказывается, Маратик прикрепил к подоконнику со стороны улицы плакатик. Вообще-то, это нечестно, мы еще ничего не решили.

Соседу нужны пьесы, все равно какие, он любит театр, а в театр сейчас не пойдешь.

Я сказала:

— У нас есть двухтомник Уайльда. Пьесы во втором томе. Я сейчас поищу, кажется, он в этой стопке... и дам вам второй том.

— ...Да, пожалуйста... у меня очень тревожное состояние, сегодня мне приснился странный сон... — сказал сосед. — Может быть, пьесы хоть ненадолго отвлекут меня от новостей, я непрерывно читаю новости.

Я тоже. Я смотрю новости приблизительно каждые пятнадцать минут. Раньше я вообще не интересовалась новостями, а теперь получается, что я проверяю новости шестьдесят раз в день?..

Мы поделились друг с другом новостями.

На самом деле мы поделились друг с другом одними и теми же новостями. Но как могло быть иначе, если мы оба без перерыва читаем одни и те же новости? Он только что прочитал, что, по данным университета Хопкинса, в странах, где проводилась массовая вакцинация БЦЖ, у людей в 5,8 раза выше шансы не заразиться. И я только что прочитала, что, по данным университета Хопкинса, в странах, где проводилась массовая вакцинация БЦЖ, у людей в 5,8 раза выше шансы не заразиться. Нам обоим делали БЦЖ, и нашим родителям тоже делали БЦЖ, это немного успокаивает нас обоих.

Мы обсудили, когда нужно вызывать «Скорую». Он считает, что ложиться в больницу опасно. Пока нет угрозы жизни, нужно терпеть и лечиться самому, хотя есть случаи смерти от самолечения, например от приема гидроксихлорохина.

При словах «угроза жизни» у меня в горле завихрился страх.

— Пожалуйста, давайте не будем упоминать угрозу жизни, — пискнула я. — Я остро реагирую... понимаете?

Господин сказал:

— Эпидемия не главное зло, а вот что будет с экономикой после эпидемии... Что бы вы выбрали: объявить карантин и сохранить жизни, разрушив экономику, или пожертвовать жизнями и сохранить экономику? Если бы вы были на месте Меркель?

Маратик закашлялся в комнате, я извинилась, вышла к нему.

— Ты нарушаешь правила игры, — зашипел Маратик. — Мы должны рассматривать любое наше действие с точки зрения бизнеса. Неправильно продавать второй том: кто тогда купит первый?..

— Продавать? Что ты имеешь в виду? За деньги?

— Нет, за фантики!.. Когда в детстве играли в магазин, были игрушечные деньги, нарезанные квадратиками фантики. ...Назовешь цену, возьмешь деньги. Деньги — это такие бумажки: сто рублей, двести, пятьсот, тысяча, пять тысяч... Дашь книгу, возьмешь бумажку.

— Сто рублей брать? Как-то неловко, он же сосед...

— Сосед же не знает, что книжная лавка «Чемодан» — игра. И вообще, он не сосед, а покупатель: пришел в рабочее время, вошел через дверь. Деньги берешь с серьезным лицом, это такой обэриутский стеб — играть и говорить чушь с серьезным видом.

Я рассердилась: лежит тут, весь в чипсах, как свинья в очистках, а я должна брать деньги.

— Ты вообще имеешь представление о бизнесе? Надо ИП открывать, заводить кассу. Я боюсь кассы, я даже банкоматов боюсь, стараюсь не брать деньги и не класть... Банкомат может не дать денег или забрать карточку.

· — Балда, ты что, балда? — сказал Маратик. — Сейчас весь мелкий бизнес рухнул, зачем тебе ИП, чтобы налоги платить?

— Ладно. ...А если... если покупателю понадобится туалет? Вот сейчас этот покупатель спросит меня, где туалет, и что?

— Что с тобой, у тебя лицо перекосилось, у тебя не приступ аппендицита?

— Я не позволю покупателям пользоваться моим туалетиком! Я не могу...

— Это же бизнес. Справишься с собой, если будет нужно. Возьмешь себя в руки и скажешь: «Туалет вон там».

— А что, если кто-то скажет «кому нужно это старье» или «все можно прочитать онлайн»? Я не сумею достойно ответить, буду мычать и улыбаться.

Пикнул мой телефон, эсэмэска от мамы. В Италии еще шесть тысяч заболевших. Мама не выходит из дома в Бергамо, отец не выходит из дома в Петербурге. Границы закрыты. Что, если они закрыты навсегда? Мир, который был таким уютным, таким моим, разделился на маленькие пещерки... Мама и папа каждый в своих пещерках, а я здесь, в своей... Что, если я никогда не увижу маму?..

— Какого черта ты стоишь здесь с похоронным лицом и вздыхаешь? — проворчал Маратик. — Волнуешься, что начинаешь бизнес с нуля? Ну и что, каждый с чего-то начинает. Все норм, иди, ты справишься.

— С чем я справлюсь, с придуманной книжной лавкой?.. Может, вернемся в реальность? Представь, что ты глава государства, на тебе ответственность за миллионы людей. Что бы ты выбрал: сохранить жизни или сохранить экономику? Если бы ты был Меркель или Макрон?.. Это экзистенциальный выбор: жизнь или цивилизация.

— Я не Меркель и не Макрон, я человек маленький, у меня книжная лавка. Вольтер говорил, нужно возделывать свой сад. Иди, возделывай мой сад.

Я лично буду подсчитывать выручку каждый день! — крикнул Маратик мне вслед и в испуге зажал рот рукой — в зале все слышно.


...Господин сказал, что плохо переносит стресс, чувствует себя истощенным, днем и ночью думает, как выжить в ближайшие месяцы и что будет с экономикой после карантина.

Я спросила, какой сон ему приснился.

— Вы не поймете. Но могу рассказать: мне приснилось — война, меня угоняют в Германию на трудовые работы. Я не могу идти, я ведь уже немолодой, нездоровый. Я падаю и остаюсь лежать на обочине, а у меня...

— А у вас?..

— Ипотека.

Вот что оказалось: господин — топ-менеджер в немецкой компании, боится, что компания из-за вируса свернет свою деятельность в России и он потеряет работу. Сон так прямо связан с его страхами, что даже Фрейд не нужен. В трудные минуты жизни, в минуты стресса и душевного расстройства, как сейчас, самый страшный страх вылезает из генетической памяти и трансформируется в реальность: бедный господин, фашисты его пристрелят, и он не сможет платить ипотеку.

Я не думала, что у взрослого солидного человека могут быть те же страхи, что у меня. У меня нет ипотеки, но страхи есть: мне не раз снилось, что война, за мной приходят фашисты. Может быть, из-за «Дневника Анны Франк»? Самое страшное — это ждать, когда за тобой постучится смерть.

— Вы прочитаете «Веер леди Уиндермир» и успокоитесь.

Пьесы действительно очень успокаивают: легко читать, слева — кто говорит, справа — что говорит, и не тратишь время на описание природы. «Идеальный муж»... эту пьесу я люблю меньше... хотя в любви ведь не бывает «больше» и «меньше». «Идеального мужа» я люблю одной любовью, а «Веер леди Уиндермир» другой.

Поговорили о расстройствах психики в самоизоляции: обостряется мания преследования и страсть к конспирологическим теориям. Пообещали друг другу не начинать день с проверки новостей и обсуждать со знакомыми не одну тему, а разные: мы оба не хотим стать статистикой эпидемии, но и стать статистикой психдиспансеров тоже не хотим... Он предложил поговорить о позитивном, но не смог переключиться и заговорил об аппаратах ИВЛ: сколько аппаратов ИВЛ у какой страны, достаточно ли ИВЛ в Петербурге и хватит ли на нас.

После разговора об ИВЛ страх опять завихрился у меня в горле и перешел в область живота. У соседа, должно быть, тревожное расстройство, а у меня панические атаки. Такое впечатление, что в книжной лавке «Чемодан» все, и продавец, и покупатели, страдают от разного вида нервных расстройств. Но куда всем нам сейчас податься, как не в книжную лавку?


...У него в руках двухтомник Оскара Уайльда, а у меня сто рублей! Я смогла! Это оказалось не трудно: он спросил, сколько с него за двухтомник, а я сказала «сто рублей».

На прощание сосед сказал: «Как вы будете вести бизнес после обвала рубля?» и «У вас очень красивое платье».

Как обвал рубля повлияет на мой бизнес?

Почему я, в своем возрасте, так и не научилась принимать комплименты? На мне розовое бархатное платье с низкой талией по моде Серебряного века, очень красивое. У мамы отличный вкус, она выбирает платья потрясающей красоты: черное с крошечным кружевным воротничком, шерстяное с юбкой-пачкой, шелковое платье-футляр. Говорит: «В твоем возрасте у меня были только джинсы и свитера, мне бы твои возможности». Последнее, что она мне прислала, — вот это бархатное пепельно-розовое платье. Сказала: «Надеюсь, это платье ты будешь носить». Я люблю джинсы и свитера и ботинки «Доктор Мартинс». Теперь вот сижу дома в бархатном платье, наверное, чтобы стать к ней ближе.

Почему я ответила «да это так, ничего особенного», вместо того чтобы просто сказать «спасибо»?

Почему мне так мучительно трудно общаться с новыми людьми? Ведь я потратила столько усилий, чтобы переделать себя из интроверта в экстраверта.


...У нас еще один покупатель: бабушка с внуком. Постучались в окно: нет ли у нас Бианки? Бабушка хочет, чтобы внук читал про природу, как она в детстве. Внук скорчил мне рожу: не хочет как бабушка в детстве.

Внуку не повезло. У нас есть Бианки.

Продала Бианки через окно за 150 рублей.

...Маратик потирает руки: бизнес набирает обороты.


...И самое главное! Насчет второго тома.

Мне было очень жалко продавать двухтомник Оскара Уайльда. Но почему-то нашелся еще один второй том! Этот второй том я никому не отдам, он мне самой нужен. Я люблю второй том больше, чем первый. Если подумать, то «Идеальный муж» хуже, чем «Веер леди Уиндермир», но лучше, чем «Как важно быть серьезным».

Нужно предложить соседу с третьего этажа большой синий том Мольера. Пьесы Мольера поддержат его во время эпидемии... кроме, пожалуй, «Тартюфа». В принципе еще можно Бомарше. А вот пьесы Чехова я бы сейчас ему не посоветовала.

## ГОЛУБАЯ ДЖЕЙН ОСТЕН

**Цитата дня:**

Сразу же после обеда Элизабет вернулась к Джейн. И как только она вышла из комнаты, мисс Бингли принялась злословить на ее счет. Ее манеры были признаны вызывающими и самонадеянными, и было сказано, что она полностью лишена вкуса, красоты, изящества и умения поддерживать беседу.

*«Гордость и предубеждение»*

✓ проданных книг — ни одной
✓ подаренных книг — одна, «Республика ШКИД»
✓ вложений в бизнес — одно

Прошло два дня или три. Теперь все дни сливаются в один, и я не помню, какое сегодня число и даже какой день недели.

...Это нечестно! Невозможно поверить, что Маратик сам, без моего согласия, решил вопрос с названием книжной лавки! На моем окне, на каждом из трех моих окон, прикреплены вывески «Книжная лавка „Чемодан"».

Возможно поверить. Три вывески, на каждом окне.

Зал выглядит совершенно как книжная лавка. Стеллажи с книгами, прилавок.

У Маратика руки-крюки, поэтому он пригласил знакомого сколотить прилавок и поставить стеллажи. Знакомый принес доски для прилавка и инструменты и привел свою девушку. Пока знакомый Маратика сколачивал прилавок, я пряталась в комнате: решала сложный этический вопрос. Знакомый Маратика и его девушка были без масок. Мне было страшно выйти к ним без маски и неловко выйти в маске, как будто я боюсь от них заразиться. Просить их надеть маски тем более неловко. Интересно, мы теперь всегда будем решать этот сложный этический вопрос? Или попросить надеть маску человека, который пришел сколотить нам прилавок, станет для нас таким же обыденным, как предложить ему тапочки? Но я никогда не предлагаю гостям тапочки.

Когда знакомый Маратика с девушкой ушли, я вышла из укрытия. И тут же поняла, что у них не очень хорошие отношения. У нас на стене, справа от камина, висит старый плакат «Мир — Труд — Май». Плакат висит «Миром — Трудом — Маем» к стене, а на обратной стороне Маратик написал: «Книга лучше, чем любовь» и красным фломастером приписал почему: «С книгой всегда можно выпить». Маратик искрится и выстреливает идеями, придумал, что каждый может приписать, почему книга лучше, чем любовь. Если захочет, конечно.

Знакомый Маратика и его девушка написали, почему книга лучше, чем любовь:

*Книга не заставит тебя сделать аборт.*

*Книга не назовет тебя дебилом.*

*Книга не будет грозить, что уйдет от тебя.*

*Книга не такая тупая, как тот, с кем я живу.*

Зачем они живут вместе, если все так сложно?

Маратик сказал, что все его друзья пробовали жить со своими девушками, и все расстались из-за того, что девушки не понимают, что искусство жить вместе требует компромиссов, и лезут в личное пространство: спрашивают «куда пошел?» и «когда придешь?», пытаются узнать пароль на телефоне, втайне проверяют сообщения. Многие мои знакомые тоже пробовали жить с кем-то и тоже расстались.

Если искусство жить вместе в том, чтобы оставить друг другу большое частное пространство, то мы с Маратиком овладели этим искусством: я не спрашиваю, куда он периодически исчезает, а он не знает, что я прячу от него чайную ложку. Моя чайная ложка ничем не отличается от остальных ложек, но я должна знать, что она только моя. Возможно, дело в том, что мы живем не как пара, а как дети без родителей.

Вилку я тоже прячу.

А если бы мы были парой? Подсматривала бы, кто ему звонит, обижалась бы, что он не дает мне пароль? Хотела бы я знать, куда он исчезает, если бы мы были парой?.. Думаю, нет: я ведь и так знаю, что Маратик уходит играть в покер.

Я знаю, что в его фляжке. Маратик говорит, что коньяк, но у меня хороший нюх. Не в том смысле, что я выслеживала, просто он дурачок: когда лежишь с кем-то на диване и прихлебываешь из фляжки, как утаить от соседа по дивану, что у тебя во фляжке? Там кола.

Если серьезно, я уже все о нем знаю. У Маратика два с половиной высших образования, одно брутальное, второе женственное: военный и искусствовед.

Один и тот же Маратик получил два настолько противоречивых образования, потому что его родители из разных социальных слоев. Мама Маратика — потомственный искусствовед из известной семьи, а папа — военный. Юная мама Маратика пошла на выпускной вечер в Суворовское училище, и вот — Маратик. Родители Маратика развелись, как только он родился, Маратик никогда не видел своего отца.

Маратик ненавидит искусство.

— Ненавижу живопись! Ненавижу музеи, выставки особенно ненавижу! — страстно перечислял Маратик. — Оперу ненавижу, балет ненавижу, ненавижу живопись... А-а, да, живопись я уже упоминал... Архитектуру ненавижу!

А как Маратик ненавидит искусствоведение! Его с трех лет водили в театры, на концерты, на выставки, а после этого он должен был не просто сказать, понравилось или нет, а обосновать свое впечатление. А с семи лет написать краткую рецензию! К литературе Маратик не испытывает ненависти, его не заставляли рецензировать, разрешали просто читать.

— До четырнадцати лет я думал, что выставки и концерты — неотъемлемая часть жизни, как каша на завтрак. Но зато, когда я вырос... я им показал выставки!

В четырнадцать лет Маратик из нежного театрала превратился в бушующего хулигана (на его месте я бы тоже превратилась!). Перестал учиться, торговал травой (как он сказал: «для драйва»). И тут мама Маратика вспомнила о его отце. Вернее, не о самом отце, с ним никакой связи не было, а о том, что он сказал, когда узнал, что будет ребенок. Он сказал: «Ты вырастишь не мужчину, а искусствоведа». Мама приняла неординарное решение: отдала Маратика в Суворовское училище, чтобы он вырос мужчиной.

— Но я к тому времени уже был мужчиной, — гордо сказал Маратик.

Из Суворовского училища Маратика выгнали за организацию массовой драки. Маратик не участвовал в драке, организовал драку и сбежал. Не захотел там учиться. Бедная мама Маратика! Представляю, как она растерялась.

Мама отдала его в Муху на факультет истории искусств, с корабля на бал. Маратик ненавидит историю искусства.

Маратик совсем один: отца он так никогда и не видел. Говорит, что рад этому, потому что в детстве ее было слишком много.

— Она была... повсюду!.. — Маратик выпучил глаза и широко развел руками, чтобы показать, сколько мамы было у него детстве.

Не то чтобы я придираюсь, просто кое-что не сходится: одно высшее образование — история искусств, месяц в Суворовском училище Маратик засчитывает за половину высшего образования, но где еще одно высшее образование?.. «Жизнь, — объяснил Маратик. — Жизнь — это мои университеты».

...Уфф!.. Всё.

Весь день расставляли книги по стеллажам. Маратик успел устать, поспать, сбегать за чипсами, шоколадками и мороженым, и вернуться. Я увидела из окна, как Маратик в маске прохаживается мимо наших окон. Прошелся несколько раз, вернулся домой.

— Зачем тебе маска, во дворе ни одного человека?..

— Кто угодно может неожиданно выскочить и надышать на меня, я не успею увернуться. ...Что ты так смотришь? Я не боюсь умереть. Если бы мне сейчас сказали «ты умрешь», я бы не испугался. Но мне постоянно сообщают: «Ты можешь умереть, будь осторожен». Я осторожен. Не хочу задыхаться, не хочу умереть от удушья. ...Я проверял название. Смотрел на вывеску «Книжная лавка „Чемодан"» и думал, зайти или нет. И знаешь, что?.. Не смог не зайти.

К вечеру книги были расставлены идеально.

Я много раз обошла зал и поправила каждую книгу, чтобы ряды были ровными. Маратик наблюдал за мной из розового кресла, приговаривая «ты псих».

Я счастлива от того, как теперь выглядит зал, — безупречно!

Прилавок можно использовать как стеллаж и как прилавок: на прилавке поместится много книг, и остается место, куда покупатель сможет класть выбранную книгу и деньги. Чемодан на полу у окна, строго параллельно подоконнику. Чемодан выполняет три функции: артефакт, элемент дизайна, склад новых поступлений (в него будем класть новые книги).

Два кресла, розовое и зеленое, стоят у камина под углом 30 градусов друг к другу, голубое кресло в центре зала; сказала Маратику: «Если сдвинешь кресло хоть на сантиметр влево или вправо — убью!»

В зеленом кресле Прелестная Анечка.

Теперь все так похоже на книжную лавку, как будто это и есть книжная лавка. А я так похожа на психа, как будто я и есть псих. Полностью погрузилась в книжную лавку, потеряла грань между реальностью и воображаемым миром, как люди, которые неделями играют в покер или преферанс.

...Через час мы поссорились. Пришел покупатель. Покупатель учится в пятом классе в школе в Графском переулке. Спросил, почему у нас на полу столько книг. Я отдала ему «Республику ШКИД», серую, сказала «для вас бесплатно». Подумала, что за деньги он не купит и не прочитает про Викниксора, Янкеля, Япошку, Купца и Цыгана. И Мамочку, конечно.

Покупатель ушел. Маратик долго и нудно выговаривал мне за неправильное ведение бизнеса.

— Благотворительность может себе позволить бизнес, у которого всё хорошо, а не тот бизнес, который после покупки ненужной библиотеки еле наскреб по карманам на чипсы. Может быть, нам стоит раздать все книги и на этом закончить?..

...Ах, да, покупка библиотеки... Не знаю, что это было. Я действовала под гипнозом или в состоянии измененного сознания. Бесконтактно купила библиотеку.

Я купила библиотеку по объявлению на Авито. Мне прислали список книг и видео, чтобы я посмотрела состояние книг, я перевела деньги в онлайн-банке, немного... не так много, чтобы Маратик меня попрекал. Книги привезли и сложили у моего подъезда, как будто это доставка пиццы.

Зачем мне эти книги? Но ведь мы играем в книжную лавку, а не в продуктовый магазин!

Если в продуктовом магазине раскупили все йогурты, это успех. Мы бы заказали еще партию йогуртов. На следующий день нам бы привезли новые йогурты.

Но если у нас раскупили, к примеру, Чехова, что нам делать? Правильно, мы должны заменить проданного Чехова другим Чеховым. Проданного Цвейга заменить другим Цвейгом, Томаса Манна другим Томасом Манном. Где нам их взять? Купить.

Вот я и купила заранее. Теперь у нас есть запасной Томас Манн коричневый, запасной Толстой коричневый, запасной Бальзак красный, Золя бордовый, Жорж Санд розовая, О. Генри зеленый...

Книг прибавилось, поэтому в книжной лавке «Чемодан» при расстановке книг изменена система хранения: собрания сочинений не выставлены целиком. На полке стоит несколько томов из каждого собрания, а остальные тома сложены в коробки. Если кто-то скажет «хочу вот этого серого Достоевского», то я возьму пару томов со стеллажа, а остальные достану из коробок. Удобно. За что меня ругать? ...Достоевских у нас теперь на выбор: серый, бежевый (тридцать томов) и коричневый.

В честь торжественного открытия лавки Маратик подарил мне два куска розового мыла. Розовое мыло разложено по тумбочкам и шкафчикам, Маратик все время на него натыкается. 33 куска должны быть всегда, поэтому лучше иметь запас. Маратик подарил мне два куска розового мыла, как мило.

А я, в честь открытия лавки, призналась Маратику, что прячу от него чайную ложку. Маратик сказал «понял, ты точно псих», хохотал, пытался узнать тайное место, чтобы отнять у меня ложку.

...Ах, да, Прелестная Анечка... Я не считаю, что она должна сидеть в зеленом кресле. А Маратик считает, что нужно соблюдать правила игры: в настоящую книжную лавку всегда приходят «свои»: интеллектуалы, писатели. Это создает атмосферу.

Но Прелестная Анечка не писательница и не интеллектуалка, она алкоголичка! Анечка, немолодая красивая женщина, живет с сестрой в подъезде напротив нас. В плохие периоды Прелестная Анечка вырывается из дома и кричит во дворе всем проходящим: «Сука, дай на пиво!» В хорошие периоды выращивает цветы, шьет, вяжет, вышивает, слушает музыку, читает. Сейчас Анечка в своем хорошем периоде. Пришла и предложила помощь: разобрала три коробки книг. Устала, присела в зеленое кресло с книгой. Читает «Тихий Дон». Невозможно попросить уйти человека, который читает «Тихий Дон».

Я очень рано начала читать взрослые книги и никогда не думала, что чего-то не понимаю и перечитаю, когда вырасту. Кроме нескольких книг, которые я читала и говорила себе: «Перечитаю, когда вырасту». Одна из таких книг — «Тихий Дон». ...Ладно, черт с ней, с Анечкой. «Тихий Дон» — это святое, пусть сидит до закрытия, читает «Тихий Дон». Но во сколько мы закрываемся? Какие у нас часы работы?..

Писатель для атмосферы у нас уже есть. Писатель, член Союза писателей. Живет в Толстовском доме, принес в подарок лавке пачку своих книг. Сказал, что его книги не представлены ни в «Буквоеде», ни в других книжных магазинах. Попросил выделить для его книг отдельную полку. Предложил устроить в лавке «Чемодан» цикл встреч с ним. Я согласилась на одну встречу. Цикл встреч с писателем, который нигде не продается, — это как-то не очень... Это мой аргумент. «Довлатов тоже нигде не продавался» — это его аргумент. Сейчас карантин, поэтому мы пускаем в лавку по одному человеку в маске и перчатках, а цикл встреч проведем после карантина — это консенсус.

Сказала Маратику, что не хотела бы проблем с законом. Сейчас карантин, все закрыто, кроме продуктовых магазинов и аптек. Книжная лавка «Чемодан» не продуктовый магазин и не аптека, у нас книги. Нас не привлекут к ответственности, не заставят платить штраф?..

# ОЛИВКОВЫЙ ДОСТОЕВСКИЙ

**Цитата дня:**

— Деньги будут, к вечеру будут, приходи!

*«Идиот»*

✓ звонков, круто меняющих жизнь, — два

— Тебе нужны деньги? — спросил отец.

— Тебе нужны деньги? — спросила мама.

— Тебе нужны деньги? — спросил СН.

На свете не было более избалованного человека, чем я, завидуйте мне все!

Всем ответила: «Нет, спасибо».

В обычной жизни, до вируса, деньги меня не особенно волновали: переводить для финского концерна, который продает оборудование для фанерных комбинатов, скучно — что может быть веселого в производстве фанеры, но это практически постоянная работа, финны меня ценят и хорошо платят. Мама присылала мне сумочки, ремни и заколки из своего бутика. Когда я жила дома, мне не нужно было покупать еду. Переводов хватает на платья и кофточки из «Зары», а новый пуховик или плащ нужны человеку не так уж часто.

За время жизни с СН для меня ничего не изменилось: мне точно так же не нужно было покупать продукты или платить за квартиру. СН зачем-то подарил мне лисий воротник, как будто мы в пьесе Островского. Зачем дарят воротники, чтобы можно было продать в минуту невзгод? Воротник остался у СН.

Сейчас у меня на карточке достаточно денег, чтобы прожить месяц или два. А потом, что будет потом, смогу ли я содержать себя сама? Но ведь коллапс экономики не настанет внезапно? Финский концерн, на который я работаю, не перестанет продавать оборудование? Фанерные комбинаты не перестанут производить фанеру? Я буду переводить? ...Я только что сдала большой перевод, и пока работы нет. Граница между Финляндией и Россией закрыта, концерн не продает оборудование, переводы с финского не нужны. Заказов на переводы с английского тоже нет, переводчиков с английского много.

Какая профессия самая нужная, самая безопасная при коллапсе экономики и крушении мира? Если вдруг конец света, кто выживет: юрист, пиар-менеджер, программист? Ну, врач выживет, учитель, пекарь, священник. ...Я точно нет. Без меня как рабочей единицы человечество сможет обойтись.

...Это был первый звонок СН с тех пор, как я ушла. Все это время я репетировала в голове, как я скажу «привет», какие объяснения ему дам, с чем не соглашусь, на чем буду настаивать, когда он позвонит. И вот он позвонил.

Мы поговорили как хорошие знакомые, о вирусе, о Катьке, в основном о вирусе. Разговаривали, как будто я дочка его друга: когда-то давно он дружил со мной, как взрослый дружит с ребенком, а когда дети друзей вырастают, они становятся просто знакомыми.

СН дал мне «испытательный срок», неделю. Если рассказать кому-то, что мне поставили испытательный срок, как секретарше в офисе, это покажется ужасно унизительным, — и как вообще я могла на это пойти! Но все не так, как выглядит! Это был вежливый способ дать мне понять, что он не предлагает мне жить с ним, а приглашает меня в гости на неделю. Неделя превратилась в «еще неделю», затем СН продлил испытательный срок на сорок пять дней. Почему на сорок пять? А почему вообще пригласил меня, ведь своих предыдущих подруг не приглашал? Я не воспринимала как унижение, что он разрешает мне остаться или велит уйти. Наоборот, как награду или комплимент: я победила всех его предыдущих женщин, ему, такому значительному, сложному, нравится, что я рядом.

Катька надеялась, что СН разрешит мне остаться еще на пару недель. А он сделал мне предложение. Сказал: «Ладно, черт с тобой, оставайся, выходи за меня замуж, но при одном условии». Какое именно условие, не сказал.

Мы с Катькой шутили: пробежать марафон, съесть три килограмма макарон, поцеловать прохожего на улице, прокукарекать... Я была ошеломлена, и Катька тоже.

— Я женюсь на Лике с одним условием, — напомнил СН.

Одним условием была Катька. СН женится на мне, если мы с ним останемся вдвоем, без Катьки.

— Ты придумываешь это, чтобы посмотреть, как мы будем плакать. ...Я просто не верю своим ушам... — сказала Катька.

СН оценивающе посмотрел на Катины уши, как будто измеряя их размер.

— Ты меня не так поняла. Ты моя любимая дочь. У нас с тобой свой мир, только наш. Ты можешь остаться. Но тогда Лика должна уйти. Я не хочу жить втроем.

Катька должна уйти, и мы с ним будем жить вдвоем, без Катьки. А если нет, то я должна уйти, и они с Катькой будут жить вдвоем, без меня.

СН объяснил: он рад, что мы с Катькой подружились, но это зашло слишком далеко. Отношения троих людей всегда очень сложны. В отношениях троих всегда возникают напряжение и коалиция «двое против одного». Когда я забочусь о нем, показываю свои чувства к нему, Катька тут же надувается. Злится, что он пренебрегает ею ради меня, и тут же перетягивает его внимание на себя. Наша жизнь будет выглядеть так: Катька будет ревновать, он — поочередно оправдываться перед Катькой и мной. Отношения между мной и Катькой станут для него источником боли. Или уже стали, я не поняла.

— А мне в этом раскладе вообще нет места. Кто в этой ситуации любит меня, для кого я единственный? Вы обе только ревнуете меня, а я хочу, чтобы меня любили.

Катька засмеялась, и это, конечно, было ошибкой. Нельзя было смеяться, нельзя было говорить «какие глупости». Надо было молча кивать.

У СН случилась настоящая истерика.

— Катька хочет тебя у меня отнять! Вы с ней становитесь одним целым, а я?! Где я?! Ваши отношения разрушают мою жизнь! Я не позволю, чтобы меня ограничивали во внимании и заботе в собственном доме. Я тоже хочу быть счастливым, не только вы!

Не только Катька совершила оплошность, я тоже ошиблась. Не надо было говорить с ним мягко, как с больным, не надо было говорить «это не так», он не выносит, когда ему говорят «это не так».

— Это не так, а как? Ты будешь указывать, что мне чувствовать? — холодно спросил СН.

— Нет, но...

Не надо было говорить «но», СН не выносит, когда ему говорят «но». Он очень обидчивый. Однажды я сказала: «Ой, у нас закончились яйца...» Мне нужны были яйца для пирога. Он до вечера ходил с обиженным видом и ничего не ел, как будто я подумала, что он съел все яйца, и пожалела ему яиц... а ведь пирог был для него. Я не думала, что жизнь с ним состоит из таких мелочей!

СН кричал, что Катька притворяется скромной «третьей», а на самом деле хочет стать в наших с ним отношениях главной. Хочет занять место между ним и мной и манипулировать нами обоими. Он сказал, что Катька — манипулятор, выбежал из-за стола и заперся в кабинете.

Катька плакала, я пыталась ее утешить, бормотала какую-то ерунду: «Ты же знаешь, что у него невроз, небольшой неврозик, писатели часто жестоки к близким. Достоевский, Некрасов... на фоне Некрасова он ангел».

Минут через пять хлопнула дверь кабинета, и я решила, что СН пришел в себя и возвращается к нам милым и виноватым. СН подошел к кухне, закрыл к нам дверь и просунул под дверь письмо. Катька сказала, что посылать письма из кабинета на кухню — это не неврозик, а неврозище.

Мы подцепили письмо вилкой, вытащили и прочитали. СН писал: «Давайте договоримся».

СН любит договариваться. Я тоже люблю договариваться и, как дура, верю — раз договорились, значит, так и будет. Привыкла заключать договоры на перевод, я всегда выделяю для себя красным срок, вознаграждение, санкции. Мы с СН все время о чем-нибудь договаривались, например, что он не будет кричать Катьке «б...ть!». Я говорю «так мы договорились?», он подтверждает «договорились» и тут же кричит Катьке «б...ть!».

Письмо было короткое, на полстаницы. СН написал, что хочет сохранить союз со мной. Уверен, что наш брак будет успешным. Но категорически не согласен жить втроем. «Мне нужно новое пространство отношений, я не хочу, чтобы меня все понимали в моем собственном доме». Именно так «не хочу, чтобы меня все понимали».

— Он монстр, — сказала Катька. — У монстров не бывает семьи.

Это все моя вина! Я могла бы понять: СН не переносит, когда он не в центре внимания. Все это время, весь мой испытательный срок, я переглядывалась и хихикала с Катькой. СН не хочет, чтобы мы переглядывались, улыбались, смотрели на него ласково и снисходительно, не хочет, чтобы мы вдвоем его понимали. Хочет построить новое пространство отношений, где не будет места Катьке. Он хочет, чтобы никто не знал, что у него в душе, вот что он имел в виду. Катька будет приходить в последнюю пятницу каждого месяца.

СН пришел на кухню, сказал, что все правильно придумал: со дня на день объявят режим самоизоляции, в самоизоляции мы с ним должны остаться вдвоем, а Катька уедет к матери. Впоследствии, когда жизнь вернется на круги своя, если вернется, Катька будет приходить по пятницам, последнюю пятницу каждого месяца. Он предлагает мне «руку и сердце», решение за мной, я могу принять и остаться, могу уйти.

Мне бы хотелось считать, что я ушла от СН из-за обиды за Катьку, чтобы Катька осталась с отцом. Но это неправда! СН часто повторяет «так будет правильно» или «так будет неправильно». В его книгах такое удивительное понимание людей, их мотивов и поступков, он неизмеримо умней меня и лучше знает, как правильно. В конце концов, как ему нужно, так и правильно: пусть Катька живет со своей матерью, она не маленький ребенок, привыкнет приходить в гости по пятницам.

Я бы осталась! Для меня быть с ним важней, чем для Катьки. Катька скоро начнет жить своей жизнью: все уходят и живут своей жизнью и никогда не звонят, а бедные старые отцы шпионят в социальных сетях, пытаясь хоть что-нибудь узнать о своих детях. Катька скоро уйдет, а у меня мог бы быть блестящий спутник жизни, рядом с ним я могла бы стать взрослой, значительной, умной!

Но то, что он поставил меня перед выбором, было ужасно унизительно! Вот испытательный срок — нормально, а выбрать себя — это унизительно, как будто мне велели участвовать в преступлении, не спрашивая меня, но при этом вся ответственность на мне. Чтобы я всю жизнь считала, что я плохой человек, если между Катькой и собой выбрала себя.

СН говорил мне, что вся хорошая литература построена на приеме: крошечный компромисс в начале пути ведет к краху личности. Я не хочу «компромисс в начале пути».

Ну, и конечно, был один хитрый ход: притвориться, что принимаю его условие, а потом вернуть Катьку домой. Все это время я была не собой, замерла в восхищении и стала немой и обожающей. Как суслики — встали, лапки сложили, смотрят. Но хитрить — это уже точно навсегда остаться сусликом. Так что я ушла из эгоизма: лучше крах личной жизни, чем крах личности.

СН, кстати, вовсе не плохой человек. СН очень хороший человек, просто он псих, как сказал бы Маратик. Ему кажется, что весь мир стремится не дать ему то, чего он хочет, и нужно за себя бороться. А потом он забывает, чего хотел, и живет дальше.

В конце разговора СН сказал, что не знает, что на него тогда нашло. Я даже приподнялась, чтобы вскочить, бежать к нему... но он добавил: увидимся, когда все закончится, сейчас не нужно лишних контактов, он ведь «группа риска». Ему 52 года, но он считает, что он «группа риска». А я лишний контакт.

Я лишний контакт, Маратик сбежал, играет в подпольном клубе, я никому не нужна, мне 23 года, я сижу здесь взаперти одна, моя мама в опасности, я хочу другую жизнь, другую себя, хочу родиться в другой семье, хочу стать кем-то другим и добиться успеха, может быть, хочу ребенка, ничего хорошего в моей жизни не будет. ...Может, лучше подхватить вирус и умереть, чтоб не мучиться?

На этой мысли я собралась заплакать, но не успела: зазвонил телефон. Звонили из фонда AdVita. Сказали, что мой донорский материал подошел одному из пациентов.

Сказали: «Вы подходите как донор одному из пациентов». Как это может быть?! Невероятно!

Пожалуй, у меня все-таки есть один секрет: я уже год сдаю кровь для фонда AdVita для детей и взрослых с онкологическими и гематологическими заболеваниями. Стала донором из эгоизма: все, что я делаю, ненастоящее, без меня везде можно обойтись, а сдать кровь — это что-то простое и понятное. Если сдам кровь для больного ребенка, значит, не совсем зря живу. Никто не знает, что я сдаю кровь, но такой скучный секрет нельзя зачесть за таинственную глубину.

В начале февраля я, как обычно, сдавала кровь и заодно сдала кровь на типирование для регистра доноров костного мозга. Спросила врача, можно ли мне быть донором костного мозга, если у меня ОКР в легкой форме? Врач сказала «симптомы ОКР есть у каждого второго», и я сдала кровь.

После определения моего фенотипа меня внесут в регистр. Если мой фенотип совпадет с чьим-то, значит, у меня нашелся генетический близнец.

Я не придала никакого значения тому, что сдала кровь для регистра, сдала и забыла: потенциальный донор, скорей всего, никогда не станет донором. Совпадение может случиться через годы, а может никогда не случиться.

А тут — уже через два месяца?.. Так не бывает, это чья-то дрянная шутка.

Но это не была шутка! У меня действительно нашелся генетический близнец!

— По правилам вы можете передумать. Вы должны подумать и решить. Если решите, нужно будет сдать еще один подробный анализ для подтверждения соответствия.

По правилам я должна подумать, сдавать ли костный мозг?.. Я буду, конечно, я буду сдавать.

— Когда можно сдать анализ?.. — заторопилась я, чтобы не подумали, что я сомневаюсь.

Договорились на послезавтра. Я счастлива, не считая того, что немного боюсь. Хотя бояться нечего: послезавтра — это не прокалывать тазовую кость, это просто сдать кровь для подробного анализа. Только собралась плакать, что никому не нужна, как оказалось, что я могу спасти чью-то жизнь. Ура!

# КРАСНАЯ ДЖЕЙН ОСТЕН

**Цитата дня:**

— Мисс Бейтс, я рекомендовал бы вам отведать яичко. От яйца всмятку не может быть большого вреда. Никто так не умеет сварить яйцо, как наш Сэрли, я никогда не предложил бы вам яйцо, сваренное не им... Да вы не бойтесь — видите, какие они мелкие, — одно маленькое яичко, это не беда.

*«Эмма»*

И люди понесли!

Все сидят дома, разбирают шкафы, выбрасывают ненужное. Приносят мне книги. Такое впечатление, что по Рубинштейна разнесся клич: «Эй, все сюда! В Довлатовском доме купят все, что вам не нужно, тащите!»

Мы не нуждаемся в книгах, мы нуждаемся в покупателях, но люди не имеют в виду, что я беру себе старые книги, которые им не нужны. Они имеют в виду, что я покупаю. Я стараюсь купить дешево, торгуюсь, как старуха-процентщица.

Вот что я купила сегодня (через окно, в перчатках): Некрасов цвета слоновой кости, Лесков зеленый, Лесков красный, Бунин четыре тома темно-зеленый, серый Ибсен четыре тома, черный Достоевский двенадцать томов (это уже третий черный Достоевский, но Достоевских много не бывает), зеленый Стендаль, синий Голсуорси, серый Драйзер, зеленый Шолохов!.. Гёте голубой, серия ЖЗЛ, темно-зеленый Анатоль Франс, Ленин тридцать пять томов, красный с золотым обрезом, Всемирная литература (не полностью, там двести томов, а у меня всего восемьдесят восемь, некоторые повторяются), серый Мериме, черный Гофман, черный Хемингуэй, оранжевая «Библиотека пионера», Сталин коричневый (сомневалась, брать ли, решила — надо брать, потому что тогда что — и «Библиотеку пионера» не брать, и некоторые тома ЖЗЛ?), Чехов темно-вишневый, Беляев серый с картинками, Джером оранжевый, синий с золотом Гейне, голубой Макаренко, голубой Гончаров, Островский бордовый с золотом.

Днем принесли целую стопку старых словарей: русско-немецкий, русско-английский, английский технический словарь и маленький англо-русский словарик 1954 года в серой обложке, размером с ладонь. Большие словари найдут своих покупателей, а маленький словарик никогда не купят: весь форзац исписан именем «Клара». Клара, Клара, Клара, Клара. И на некоторых страницах тоже — Клара, Клара, Клара. Это очень трогательно: очевидно же, что влюбленный школьник или студент писал имя своей возлюбленной. Когда-то давно, в 1954 году или чуть позже, они вместе учились в школе или в институте, он был влюблен в Клару и много раз написал ее имя на словарике. Если бы я не купила словарик, его бы выкинули в ближайшую урну.

А вечером случилось фантастическое совпадение! Вечером (сегодня вечером, в тот же день, не через месяц или год) в лавку пришла дама лет восьмидесяти в черной маске (из платочка) и черных кружевных перчатках. И оказалось, что это она. Это она «Клара, Клара, Клара»!

Как я об этом узнала? Да очень просто: большие словари идеально ровно встали на полку, а к маленькому словарику нет подходящих по размеру, поэтому он остался лежать на прилавке. Лежал, такой серый, потрепанный. Дама зашла в лавку за «чем-нибудь для души». Я страшно опозорилась — посоветовала «Унесенные ветром» или «Мадам Бовари», но она посмотрела на меня презрительно, словно я предложила ей перечитать «Волк и семеро козлят». Дама — трудная покупательница, она читала всю русскую и иностранную классику. Я беспомощно шарила глазами по полкам, зная, что у меня ничего для нее нет, и вдруг — есть для нее книга! Лора Томпсон «Представьте шесть девочек», биографическая книга: шесть сестер из аристократического английского семейства — жена главного британского нациста, коммунистка, подруга Гитлера, герцогиня, садовод и писательница. Книга вышла два года назад, я на нее поменялась с Прелестной Анечкой: Анечка мне Лору Томпсон, а я ей «Поющие в терновнике». Это был удачный обмен: у Анечки есть книга, которую она любит и перечитывает, а у меня книга для дамы. Ей понравится, я точно знаю.

Дама заплатила за книгу и машинально взяла в руки словарик. Полистала и сказала «ах!..». Такое потрясение невозможно удержать в себе (ну, или дома ей некому рассказать), и она поделилась со мной. Она и есть Клара. И точно знает, чей это словарик, тем более на форзаце стоит фамилия владельца.

Я сказала: «Давайте узнаем, где он живет». Вообразила, как они встречаются тут, в лавке, а потом идут по двору, бережно поддерживая друг друга, сгорбленные и счастливые. Он был в нее влюблен, она ему не ответила, и вот прошла жизнь, у них были семьи, теперь они одиноки, первая любовь растаяла в дымке... Не окончательно растаяла. Они встретились и проведут вместе последние годы, она до сих пор любит его... И это я сыграла судьбоносную роль: купила словарик и положила на прилавок!

Дама отдала мне словарик и ушла. Если быть точной, то на прощание она не сказала «я любила его всю жизнь» или хотя бы «как бы узнать, где он живет?», дама сказала «он был жуткий балбес!» и ушла, выскользнула из лавки в темноту в своей черной маске и черных кружевных перчатках.

Я понимаю, что такие события случаются раз в жизни владельца книжной лавки... или два раза в жизни, не больше трех. Но это уже второе невероятное совпадение за два дня! Сначала у меня нашелся генетический близнец, теперь словарик... Может быть, книжная лавка «Чемодан» стала каким-то мистическим Центром Мироздания и сквозь меня проходят лучи... Лучи Мессии?

Когда я сдавала кровь на типирование, мне сказали, что вероятность встретить своего генетического близнеца один на десять тысяч. А всего через два месяца — через два месяца! — мой фенотип совпал с фенотипом другого человека. Мысль о том, что существуют генетические близнецы, меня завораживает, ведь это означает, что все люди действительно братья. Какой он, мой генетический двойник? Похож на меня внешне? А ментально? А привычками? Есть ли у него ОКР?

# ЭГОИСТ

**Цитата дня:**

— Папа будет недоволен, что вы решили зарабатывать пером. Ваше перо, скажет он, достойно лучшего применения.

— На этом поприще подвизаются весьма почтенные люди. У меня нет оснований считать себя выше их.

— Они растрачивают себя понапрасну, говорит папа.

*Дж. Мереди. «Эгоист»*

«Биполярное расстройство — эндогенное психическое расстройство, проявляющееся в виде аффективных состояний: маниакальных (или гипоманиакальных) и депрессивных (либо субдепрессивных)...»

*Википедия*

✓ сообщений в почте от Сбербанка — одно

> «Нужны средства на расширение, закупку товара
> или сырья, модернизацию оборудования, текущие рас-
> ходы или на другие цели бизнеса? Оформите заявку на
> кредит в „Сбербанк Бизнес Онлайн" без посещения
> офиса банка».

Стоило один раз набрать в поисковике «как открыть ИП»
и три раза «как сделать так, чтобы ИП за вас открыл кто-то
другой», как тут же пришло сообщение от Сбербанка, словно Сбербанк сидел в засаде.

На самом деле мне не до ИП, с Маратиком что-то не так.

Утром он был такой, как всегда, — веселый, возбужденный. Говорил, что, когда закончится самоизоляция, книжная
лавка «Чемодан» начнет проводить платные мероприятия,
и мы с ним будем на эти деньги ужинать в лучших ресторанах улицы Рубинштейна.

А днем все изменилось. Лежит на диване, завернувшись
в плед, не хочет вставать, не хочет завтракать, не хочет обсуждать лавку. Обычно он говорит быстро и горячо, а сейчас
медленно, едва шевеля губами. Сказал: «Вообще не хочу
обсуждать лавку». Глаза тоскливые.

Я спрашивала, что случилось, кто его обидел, что он хочет на завтрак. Он сказал «нет», как будто трудно сказать «кашу» или «яичницу». Я спросила: «Может, поднять тебе руку, раз ты сам не можешь?», он даже не улыбнулся... Мне так нравилось, что у него все время приподнятое настроение, и вдруг без всякой причины — вставать не надо, не хочу разговаривать, и даже аппетита нет. Ну что с ним делать?!

Я вроде бы не должна удивляться: у меня опыт общения с СН. Но у СН для плохого настроения всегда есть причина. Например, издательство не прислало договор вовремя или замедлились переговоры с киностудией, и он тут же думает, что он никому никогда не будет нужен. Ясно, что произошла какая-то заминка, не имеющая к нему отношения, но он уверен, что все на свете имеет к нему отношение. СН все равно может пошутить, он особенно смешно шутит в таком состоянии, может посмеяться над собой, назвать себя старым тупым динозавром, может обрадоваться вкусной еде... в общем, печально радуется. А если издательство извинилось за задержку или со студии привезли договор, он перестает страдать. У Маратика нет никакой причины, ему без причины все кажется бессмысленным.

Маратик не улыбается и ничему не радуется! Спит назло мне.

Бесит! Эгоист. Игрок.

Маратик весь вечер спал, я читала Достоевского. Сама не могу поверить, что не читала «Братьев Карамазовых».

У меня шесть собраний Достоевского (Достоевский оливковый, черный, коричневый, серый, бежевый и еще один коричневый). Но я взяла отдельный двухтомник «Братья Карамазовы». Прочитала первый том: все перепутано, то и дело появляются персонажи, которых мы не знаем.

Я почти дочитала первый том, и Маратик проснулся. Слонялся у холодильника с недовольным лицом, раздраженно огрызнулся, когда я принесла ему поливитамины. К ночи настроение у Маратика стало еще хуже, он лег спать — вот и хорошо, раз он такой мрачный, пусть спит — а я дочитала первый том «Братьев Карамазовых» и начала второй.

...Ну, я и дура! Я прочитала не первый том, а второй! Начала со второго тома. Поэтому мне показалось, что там все перепутано. Теперь придется читать первый том, а потом снова второй? Все надо делать вовремя: не прочитала в детстве «Братьев Карамазовых», и не надо было читать.

Я привыкла к тому, что Маратик будит меня, чтобы поговорить... а он спит.

**Цитата дня:**

Может быть, мое младенчество было печальным в силу некоторых частных условий? В самом деле, вот хотя бы то, что рос я в великой глуши. Пустынные поля, одинокая усадьба среди них...

*«Жизнь Арсеньева»*

✓  мучительно стыдных воспоминаний — одно

Маратик спал, а я собиралась в клинику сдавать анализ. Отец пишет (он до сих пор не звонит, а только присылает эсэмэски), что, прежде чем выйти из дома, нужно продумать алгоритм, когда и в каком порядке я буду снимать и надевать маску и перчатки.

Мой алгоритм: одеваюсь, фотографирую плиту и кран, надеваю перчатки, выхожу из квартиры, закрываю дверь... Очки, главное, не забыть очки: отец прислал мне три эсэмэски подряд, чтобы я выходила на улицу в очках. Маска — это просто, нацепил, и все. Но как быть с перчатками?

Как закрыть дверь, не взявшись за ручку с той стороны? Перчатка уже будет в вирусах... А когда я вернусь домой, нужно мыть ботинки в перчатках и маске? Сначала вымыть руки и снять маску или снять маску, потом вымыть руки? Снимать перчатки нужно особым ловким движением, как бы сворачивая с руки. Перчатки потом кипятить.

А куртку, куртку тоже кипятить?.. Может быть, я параноик?.. Но главы государств сказали: заболеет семьдесят процентов населения земного шара, и несколько миллионов умрут. Когда так говорят главы государств, то станешь и куртку кипятить...

Взяла в руки раскрытый зонтик, махнула зонтом, угрожающе зажмурилась, лязгнула зубами и сказала «вирус, отвали!». В газете «Фонтанка.ру» напишут: «Жители Петербурга заметили в метро загадочное животное в розовых очках. Животное вело себя недружелюбно». ...Чуть не забыла шарф! Отец пишет, что шарф после прихода домой нужно постирать или прогладить утюгом. Я постираю и проглажу, с двух сторон.

Проверила: ключи в одном кармане, в другом жетон метро и телефон. Телефон нигде доставать нельзя, чтобы не напустить на него вирусов. Сняла садовые перчатки, надела свои зеленые шерстяные, сняла, надела садовые перчатки.

Перед уходом посмотрела на себя в зеркало: чучело в садовых перчатках, маске, круглых розовых очках, обмотано шарфом. В дверь позвонили. На пороге стоял высокий мужчина в маске, над маской карие глаза, взгляд внимательный и застенчивый.

Маратик отвел меня в сторону и прошипел: «Ты ведешь себя неприлично, не можешь отвести от этого красавца влюбленного взгляда». Это неправда, я не могла отвести от него пристыженного взгляда. Красавец Саня Григорьев — самое стыдное в моей жизни.

Я смотрела на Саню, Саня смотрел на меня, чучело в садовых перчатках, маске и круглых розовых очках, обмотанное шарфом.

Врач в клинике еще раз предупредила меня, что я должна подумать. Я сказала, что мне не о чем думать.

Спросила врача: откуда мой генетический близнец, где живет? Конечно, мне известно, что по закону мы, донор и реципиент, не должны ничего знать друг о друге. Наши имена должны остаться тайной друг для друга (это сюжет для романа «Тайна разлученных близнецов»).

Мне так хочется знать, какая она (это может быть и мужчина, но мне кажется, что женщина). Я не прошу сказать имя и фамилию, чтобы мы кинулись друг другу в объятия. Но я могу хотя бы узнать, откуда она, из Москвы или из уральской деревушки, а может быть, из Перми или Костромы?..

— Вы можете отказаться от донорства даже после того, как придет анализ, — сказала врач.

Отказаться спасти чью-то жизнь?.. Сдала кровь для подробного анализа и ушла.

Мне объяснили, что отказаться можно на любом этапе, но не поздней, чем за десять дней до даты трансплантации костного мозга. За десять дней до трансплантации пациенту проводят химиотерапию, уничтожающую его иммунную систему: если донор передумает, то человек, который ждет трансплантации, умрет.

Это как будто ты совершил убийство!.. Интересно, кто-нибудь отказывался в последнюю минуту? Но как? Говорил: «У меня изменились планы»? И как он себя при этом чувствовал? А если... а если вдруг заболеешь? Если заразишься? Тогда твой генетический близнец умрет.

На обратном пути в метро заметила плакат: «Стань героем! Спаси жизнь, стань донором костного мозга!» Как только увидела это «Стань героем!», мой мозг выдал мгновенную реакцию: «Ага, значит, это очень страшно и опасно!» Но сдать костный мозг вовсе не геройство, я все про это прочитала: ничего особенного, просто под наркозом прокалывают тазовую кость и берут кровь.

«Проколоть тазовую кость» звучит страшно. Проколоть тазовую кость совсем не то, что взять кровь из пальца или из вены.

Мне под наркозом проколют тазовую кость и возьмут кровь.

При мысли о наркозе у меня все внутри сжалось: после наркоза можно не проснуться, иногда от наркоза случается анафилактический шок. Не буду сейчас об этом думать.

...Но я думаю.

Сказали, что анализ займет какое-то время, они позвонят. Может, я и не подойду.

Маратик ждал меня дома, что неудивительно, где ему еще быть. И Саня ждал меня дома. Мы не виделись полгода, почему он появился именно сейчас, зачем ждет меня дома?

На первый вопрос ответ нашелся сразу: Саня пришел не ко мне, а к бабке Ирке. Мы с ним бывали у бабки Ирки не раз и не два, правда, Саня с ней никогда не разговаривал больше пяти минут, она давала нам ключи и уходила. Саня живет рядом, на Фонтанке, но к нему мы не могли пойти, у него дома всегда были сестра и бабушка.

Маратик опять отвел меня в сторону (ужасно не люблю, когда отводят в сторону и шепчутся!) и прошипел (что это с ним, завел привычку шипеть, как кот!):

— Он сказал, вы с ним плохо расстались, и он ждет тебя, чтобы помириться... Ты что, собираешься с ним помириться? Он что, теперь будет жить с нами?.. Не мирись с ним до конца самоизоляции, я не хочу жить втроем, мы так не договаривались...

— А как же пьеса «Мой бедный Марат»? В полуразрушенной квартире во время блокады жили не два человека, а три — Лика, Марат и Леонидик. Три, а не два, — мерзким голосом ответила я. Мне захотелось сделать Маратику больно, во мне иногда просыпается садистка.

— Мы были вдвоем, а теперь к нам прибился Леонидик?.. Понятно, только Леонидика нам не хватало... Между прочим, в пьесе Марат красивый и умный, а Леонидик нелепый и жалкий... А у нас наоборот: этот твой Саня высокий, здоровый и красивый.

Саня Григорьев выглядит в точности таким, каким я в детстве представляла себе летчика Саню Григорьева из «Двух капитанов»: высокий, мужественный и застенчивый, в лице благородство и твердость характера.

— Тебе нравятся красивые серьезные парни с устойчивой самооценкой?.. — подозрительно спросил Маратик.

— Да. Мне нравятся высокие красивые парни. Всем нравятся высокие красивые парни.

— Не то что Маратик, мелкий и наглый, да?

— Да.

— Почему я мелкий? Мелкий я почему?! Я метр семьдесят пять, почему я мелкий? ...Я что, выгляжу мелким?

Садистка заснула.

— Ты выглядишь крупным. Ты тоже красивый.

— Спасибо.

Маратик и правда тоже красивый, не хуже Сани, просто другой.

У меня тревожное чувство (внутренняя дрожь, комок в горле и желудочный дискомфорт), как будто меня включили в пьесу, где сюжет известен только автору и режиссеру, а мне нет.

## БИРЮЗОВЫЙ ТОЛСТОЙ. НОЧНЫЕ СТРАХИ

**Цитата дня:**

Вернувшись в Москву из армии, Николай Ростов был принят домашними как лучший сын, герой и ненаглядный Николушка; родными — как милый, приятный и почтительный молодой человек; знакомыми — как красивый гусарский поручик, ловкий танцор и один из лучших женихов Москвы.

*«Война и мир»*

Не просыпаясь, шлепнула Маратика по руке. Он шлепнул меня в ответ, я проснулась, и мы подрались подушками.

— ...Ну всё, всё, хватит, я победил... Ты заметила, что я не спал всю ночь? Я не мог заснуть, ты заметила?

Как я могу не заметить, что он встает, роняет стул, зажигает свет, бредет на кухню, возвращается с бутербродом, ест бутерброд, смотрит кино, играет в игры, шуршит чипсами. Как я могу все это не заметить, если мы спим на одном диване?

— Мне страшно. Вчера было нормальное настроение, а сейчас плохое, ужасное... У меня периодами нормальное настроение — и вдруг ужасное.

— Послушай, я... Может, есть какие-нибудь лекарства? Я знаю, что у тебя БАР. Ну, там, таблеточки... или капли?

— Не-е-т! — заорал Маратик, как если бы я предложила ему мазать нос от вируса оксолиновой мазью.

Я кивнула — нет так нет.

Я давно поняла, что у Маратика БАР. Так смешно совпало: у меня ОКР, а у Маратика БАР. Смешно получилось, что мы тут собрались, все психи... кроме, конечно, Сани. Саня самый нормальный человек на свете.

БАР, биполярное аффективное расстройство психики, это чередование мании и депрессии: в период мании Маратик веселый и возбужденный, спит по нескольку часов в сутки, убегает играть, ездит на машинах друзей, одалживает деньги, придумывает проекты... Маратик придумал книжную лавку в период мании.

В период депрессии приходит домой и ложится, отвернувшись к стенке, молчит. Я прочитала в интернете, всё сходится. БАР в легкой форме. Маратик не один такой, например, у пяти миллионов американцев биполярное расстройство психики. Но это слабое утешение: пять миллионов американцев не пришли ко мне на самоизоляцию и не открыли у меня дома книжную лавку.

— ...Ты можешь меня потерпеть? — спросил Маратик.

Так, могу ли я потерпеть? Вообще-то, нет. Закончится мания, начнется депрессия, закончится депрессия, начнется мания... В мании Маратик будет перескакивать с одного на другое, ничего не сможет завершить. В депрессии будет бродить по дому с тоскливыми глазами, спать до вечера, шуршать всю ночь чипсами. Шоколадные батончики особенно раздражают, вот этот громкий разнузданный шурш с его стороны дивана!..

— До зимы, ты можешь потерпеть меня до следующей зимы? — уточнил Маратик. — Летом мне всегда кажется, что я лучше всех, осенью — что хуже всех, а зимой я нормальный человек.

Сейчас весна. Потом лето. Осень. К зиме Маратик станет нормальным Маратиком, уравновешенным и спокойным, как слон. Могу ли я потерпеть до зимы? Это зависит от того, что считать зимой: по календарю зима начинается в декабре, но в ноябре уже может выпасть снег. Снега может не быть, но будет мороз. Или просто холодно: если ветер и минус два, то это уже зима. Иногда минус бывает уже в конце октября. Это же Петербург.

Депрессия — мания — депрессия — нормальная жизнь — мания — депрессия — к зиме нормальная жизнь... Могу ли я потерпеть?

— Конечно. Конечно, я могу.

А что мне остается делать? Я же не могу выгнать его из своей жизни, если начала жить с кем-то в мании, то придется жить и в депрессии.

— Мне не нравится твой тон, слишком героический... — придирчиво сказал Маратик. — Вот только не надо меня спасать. Не хочу, чтобы ты меня спасала.

Утешала Маратика, что я не могу его спасти: у него не болезнь, а личные особенности, от чего его спасать. У каждого что-нибудь есть. У меня ОКР в легкой форме, у него БАР в легкой форме, у каждого есть что-то в легкой форме.

— У тебя БАР, а я дрожу над розовым мылом и дотрагиваюсь до памятника Довлатова.

— Да уж, с мылом неприлично получилось, — оживился Маратик.

Он любит, когда я виновата, а он прав. Вчера вечером мне показалось, что я недосчиталась одного куска. Орала диким голосом, как медведь: «Кто взял мое розовое мыло?!»

— Я, кстати, не понял, чего ты так разоралась: у тебя сейчас тридцать пять кусков, и у меня в заначке еще три, я подкупил на всякий случай.

## КРАСНАЯ ДЖЕЙН ОСТЕН

**Цитата дня:**

— ...Такой, как мистер Найтли, сыщется, может быть, один из ста, столь явственно на нем написано: «джентльмен». Но вы не только с ним одним встречались последнее время. Что скажете вы о мистере Уэстоне и мистере Элтоне?

*«Эмма»*

— Ты задаешь так много вопросов, что я не могу ответить, — сказал Саня, и я уловила в его голосе — что?! А вот что — знакомую нежность. Что это, проснулась старая любовь? А, собственно говоря, почему бы и нет? Во мне, например, живы все мои любови с детского сада, в любую минуту можно достать, побрызгать водой и оживить: раз — и я опять влюблена в лучшего мальчика в детском саду.

Конечно, я задаю много вопросов! Я не видела Саню полгода, не знала о нем ничего, кроме того, что он уехал в Москву. Я задавала вопросы — как ты здесь оказался, почему ты здесь оказался, что ты здесь делаешь, почему ты уехал в Москву, что было в Москве, зачем ты приехал в Питер, как ты здесь оказался, что ты здесь делаешь...

Санина манера отвечать на вопросы меня бесит!

— Я пришел навестить бабку Ирку, потому что у меня в этом доме живет одинокий старик.

Можно из этого что-нибудь понять?! Да еще задумывается, делает долгую паузу, как будто боится что-то упустить. А потом отвечает невпопад, так, что ничего не поймешь!

Ну вот, кратко. В нашем подъезде висит объявление: «Бесплатная помощь одиноким пожилым людям в доставке лекарств и продуктов». Это Саня повесил. Старики не умеют заказывать продукты онлайн. Старики не могут справиться с алгоритмом: надеть перчатки, пойти в магазин, снять упаковку в перчатках, достать продукты без перчаток, надеть перчатки и выкинуть упаковку... У Сани несколько одиноких стариков в соседних домах. В его доме на Фонтанке два одиноких старика. В Толстовском нет одиноких стариков, но два диабетика с ослабленным иммунитетом. В Довлатовском доме есть две старушки и один одинокий старик в нашем подъезде. Саня принес продукты и лекарства деду с пятого этажа и решил зайти к Ирке, узнать, может быть, и ей что-то нужно.

Маратик насмешливо сказал:

— Ты Тимур и его команда.

— Ну, ситуация же сложная. Правильно — сделать что-то для людей, если я могу... если я сейчас свободен. Мне нетрудно принести продукты и лекарства.

— Включи голову: почему ты должен подвергать себя дополнительному риску ради чужого деда? — сказал Маратик. — Кто сказал, что твоя жизнь менее ценна, чем его? Это глупый пионерский героизм от недостатка ума.

Саня пожал плечами, не стал отвечать.

Я теоретически на стороне Сани. Если бы дед с пятого этажа попросил меня купить продукты и лекарства, я бы купила. Но ходить со списком не стала бы. У меня не такое большое сердце, чтобы его хватило сразу на весь список.

— Саня, у тебя критическое мышление на нуле. Ты же не возьмешь на себя вечное жизнеобеспечение всех стариков в доме? Тогда какое имеет значение, принесешь ты им пару раз кефир или нет? Для тебя главное — чувствовать себя хорошим. Это поза, а ты, Саня, позер.

Маратик думает, что это поза, но я знаю, Саня не притворяется хорошим, Саня хороший человек, хороший от природы, Дон Кихот, Деточкин из «Берегись автомобиля». В универе Саня был лучший, из тех, в кого влюбляются всем университетом, — и мы были в него влюблены всем универом. Я смотрела на него издали: он учился на другом факультете.

Я всегда влюблялась в «лучшего мальчика во дворе», но лучший мальчик меня не выбирал. С какой стати лучшему мальчику выбирать меня? Если представить детей, идущих по улице парами, взявшись за руки, все бледненькие, приглушенных красок, неотличимые друг от друга, то я одна из них. Деревянный солдат из книги «Урфин Джюс и его деревянные солдаты». С детства во мне сформировалась твердая уверенность, что тот, в кого я влюблена, выберет мою соседку по песочнице или по парте, не меня. Когда Саня в меня влюбился, я поверить не могла, что получила лучшего мальчика на курсе.

Я была влюблена, гордилась, что он выбрал меня, и мне нравился секс. Вернее, мне нравилось, что у меня есть секс, я как бы наполнилась чувством своей необходимости для кого-то. Скоро (если считать от первого секса, то через два месяца) мне стало скучно... А может, я сама была скучной? Когда человеку с кем-то скучно, вполне может быть, что он сам скучный.

Но Саня тоже виноват! Он обращался со мной так буднично, словно мы сто лет вместе, как родственники, словно у нас с ним все навсегда решено! Как будто записал меня в свой список: Лика, моя девушка, встречать, провожать, дарить цветы, ходить в кино. А я хотела сложных отношений, как будто примеривала на роль своего героя нервных англичан из романов Ивлина Во. Я злилась: вроде бы у нас любовь и секс, а где же сложные отношения? Это звучит по-детски: «Хочу, чтобы меня любили возвышенно и страстно», но быть пунктом списка заботы было очень скучно.

Возможно, так вышло, потому что Саня привык заботиться. У Сани в семье одни женщины: мама, бабушка и сестра. Он всегда кому-то помогал, подругам матери, мамам подружек сестры, с первого курса вел в детдоме кружки, на последнем курсе работал с детьми-инвалидами. Саня — хороший человек для спокойных добрых отношений на всю жизнь, а не для выяснения отношений.

Было бы честно сказать «я тебя не стою» и отпустить. Но я не могла из жадности: как же так, он лучший, а я его отпущу? Я пыталась как-нибудь выкачать из себя любовь, восхищение, восторг, как насосом, качала — давай еще чувств, давай! Чувства не выкачивались, я злилась, провоцировала Саню, имитировала звонки, чтобы вызвать его ревность. Ужас. Стыдно вспоминать.

Но самое стыдное — вспоминать, как он старался. Пытался изображать «сложную любовь» и сложного себя. Но от него требовалось что-то, ему не свойственное, поэтому изображал хмуро и недовольно.

На самом деле я была дурой. Саня — настоящий герой романа. Он герой советского романа, военврач Устименко из трилогии Германа или летчик Саня Григорьев. На самом деле мы с ним разыграли историю из советских романов: простой честный парень влюбляется в надменную капризную стерву. Капризная стерва воображает себя очень сложной и отвлекает своими закидонами от «бороться и искать, найти и не сдаваться». Саня, конечно, ничего такого не думал, просто не понимал, чего от него хотят. Но я же не думала, что мои требования глупые, я думала, что это он глупый. Относилась к нему снисходительно. Не изменяла, не заводила романов (было не с кем заводить романы), но вела себя, как будто он со мной, а я не совсем с ним.

Но Саня все же герой романа — он расстался со мной жестко. Мог бы просто однажды не перезвонить и пропасть, но он сказал «все, конец». Я испугалась, мне никто еще не говорил «все, конец». Я не хотела расстаться, я только хотела быть сложной! Но это было такое «все», после которого не будешь юлить, хитрить, мести хвостом. Я одна виновата: из-за своих комплексов плохо обошлась с очень хорошим человеком.

— Почему ты уехал в Москву?

— Учиться в МГИМО. Отец собрал на меня досье.

Как будто я должна знать то, что он знает! Как будто можно просто захотеть и уехать в Москву учиться в МГИМО, как будто я должна знать, откуда взялся его отец! У Сани нет отца, как у Маратика.

Вот вкратце то, что мне удалось узнать: поступил в МГИМО, проучился полгода, бросил, приехал в Питер, собирается работать учителем физики в лицее.

— Не верю, — сказал Маратик. — Бросил МГИМО, чтобы работать учителем? Думаешь, мы поверим? Ты, конечно, можешь не рассказывать... Тебя выгнали? Может, ты торговал наркотиками? Ты такой хороший, что от тебя всего можно ожидать. ...Ладно, раз не признаешься, что вылетел, расскажи хотя бы, какие там люди, в МГИМО: в «ролексах», на «мерседесах»?

— У всех отлично с языками. Мне было трудно с английским. Учил целыми днями. В Герцена у нас был английский, но уровень низкий. К сессии справился, почти догнал остальных.

Я хотела узнать, откуда у Сани взялся отец, но Маратику было неинтересно, Маратик ревнует. Не так ревнует, будто я его девушка, а как ревнуют кота: думаешь, что кот привязан к тебе, а он сидит у камина и разговаривает с другим. Маратик хотел говорить сам, а не слушать Саню. Тем более Саня экает и мекает.

— Приносить продукты старикам, чтобы чувствовать себя хорошим, легко. Ты делаешь это для себя, чтобы быть хорошим, а вот если отдать в пустыне последнюю каплю воды, это было бы бескорыстно. А так нет. Ты бы отдал последнюю каплю воды?

— По-моему, никто этого не знает, пока не припрет, — миролюбиво ответил Саня.

— Я знаю: я бы не отдал... Тебе кажется, что помогать — это круто. Для кого-то круто на «Порше» раскатывать, а для тебя круто помогать. Все, что люди делают, они делают для себя. Все, что ты делаешь, — для себя, кефир и волокордин тащишь для себя... Может, скажешь, что честь и благородство никто не отменял, есть люди, для которых самое важное Дух, Бог... и так далее?

В теории я за все это — честь, дух, Бог. Но на практике я никогда ни по какому поводу не думаю о чести, Духе и Боге. Например, сдать костный мозг я хочу для себя: спасти кому-то жизнь — это очень круто. И где тут Дух и где тут Бог? Только эгоизм, да еще какой эгоизм.

Ни за что не расскажу Маратику и Сане, что нашелся мой генетический близнец. Не то чтобы вообще никогда не расскажу, а до подтверждения полного соответствия. Если подтвердится, тогда огорошу их сообщением, пусть завидуют.

...Посреди ночи Маратик меня разбудил.

— Скажи, этот твой Саня... он что, нравится тебе больше, чем я? По-моему, я лучше. ...А может, ты его до сих пор любишь? Нет? Я понял, что нет, но, может, ты любишь его больше, чем меня? Молчишь?.. — проворчал Маратик. — Знаешь, если бы мне было куда переехать, я бы переехал от тебя на другой диван,

Построил между нами заграждение из подушек и гордо заснул.

А я не могла заснуть и стала думать, зачем я живу. Я часто думаю, зачем я живу. Потом стала думать, что многие книжные магазины устроены неправильно. Они предназначены для людей, которые ориентируются в книгах, знают, что хотят купить.

Вот стоят собрания сочинений. У любого нечитающего человека при взгляде на эти скучные тома одного цвета возникает только одна мысль — ни за что! Даже в руки не возьму! Не все знают, что в каком-нибудь скучном томе таится такая потрясающая история, как... ну, к примеру, «Американская трагедия». Вот так и пропадает классика и скоро пропадет навсегда. А что, если?.. СН говорил, что это хороший вопрос — «а что, если?..»: «что, если человек превратится в жука?» или «что, если человек превратится в нос?».

А что, если на каждый том в собрании сочинений прицепить пояснительную записочку? На «Американскую трагедию» — «Суперский роман про любовь и предательство» или «Вы не сможете оторваться, честное слово!» или завлекательное описание сюжета, как пишут о сериале. На «Обрыв» прицепить «Читать эту книгу — как будто впервые влюбиться», на «Обломова» — «Думаете, что это отстой? Нет, это очень современно», на томик Тэффи — «Вы будете смеяться, как дитя», на «Войну и мир» — «Вы можете забить на войну и читать только про мир». А вот еще слоган: «Может быть, это про вас».

И должна быть специальная полка «Посмотрите здесь» для книг с личными рекомендациями покупателей, например: «Не ел, не спал — читал», или «Эта книга изменила мой мир», или «Моей девушке понравилось».

...Интересно, Саня думает, что у меня роман с Маратиком? Но что он может подумать, если у нас один диван?

# БЕДНЫЙ МАРАТИК

**Цитата дня:**

— Держите ее за руки, мисс Эббот, она точно бешеная...

— Какой срам! Какой стыд! — кричала камеристка. — Разве можно так недостойно вести себя, мисс Эйр? Бить молодого барина, сына вашей благодетельницы! Ведь это же ваш молодой хозяин!

*Шарлотта Бронте. «Джейн Эйр»*

«Британские ученые сообщают: „От коронавируса умрет 80% человечества“. Об этом пишет The Guardian со ссылкой на исследование ученых из Королевского колледжа Лондона».

*Из новостей*

Маргинал — человек, находящийся на границе различных социальных групп, систем, культур и испытывающий влияние их противоречащих друг другу норм, ценностей и так далее.

*Википедия*

Вечером у нас Саня. Саня приходит ко мне в третий... нет, в четвертый раз.

Я говорю «ко мне», а не «к нам», потому что Саня не стал бы приходить к Маратику: они так друг другу неприятны, что не могут даже разговаривать, разговаривают через меня. Саня называет Маратика маргиналом: для Сани маргинал — это тот, кто не такой, как он. На самом деле он случайно попал в точку: Маратик выпал из своей социальной группы и, как травинка на ветру, колеблется под влиянием противоречащих друг другу ценностей — аспирантура по истории искусств и запойная игра в покер.

Саня называет Маратика маргиналом, а Маратик Саню тупым. Маратик говорит: «Спроси Тупого, он будет чай?..», а Маратик говорит: «Скажи Маргиналу, что я принес печенье». Как дети. Зачем спорить, кто лучше и чья жизнь правильней: ясно же, что Маратик не будет разносить лекарства по коммуналкам, а Саня играть в покер. Они очень разные, и у них на все разные взгляды.

Маратик считает: нужно весело жить здесь и сейчас, завтра может и не быть. Скажи Сане, что завтра не будет, он удивится — почему не будет? Саня живет для завтра. Для него счастье, когда кран течет или полка рухнула. За пару часов, что провел у нас, починил кран, полку, дверную ручку и присматривается к плите.

Я говорю, что Саня «у нас», потому что Маратик не оставляет нас вдвоём ни на минуту. Саня больше ссорится с Маратиком, чем разговаривает со мной. Саню отчего-то тянет к Маратику, а Маратика к Сане: они такие разные, что рассматривают друг друга как необычное природное явление, редкий вид животного или растения.

— Эта ваша книжная лавка... полезная. Людям сейчас важно, что они могут куда-то прийти...

— Идея моя, — быстро говорит Маратик.

— Хорошая идея, — нехотя признаётся Саня.

— Но ты ведь понимаешь, что это игра?

— Какая игра?

— Ну, игра... мы играем в книжную лавку, чтобы не свихнуться тут взаперти... И где-нибудь на свете потанцуй, понимаешь?

— Зачем танцевать? — не понимает Саня.

Маратик фыркает. Маратику легко над ним смеяться: Саня — технарь, не знает философов, стихов на знает, не узнаёт цитат... А если бы Саня сыпал словами «градиент» и «интеграл», Маратик не понимал бы, и Саня над ним смеялся и говорил, что он некультурный человек? У технаря нет никаких преимуществ: Бродского должны знать все, а градиент никого не интересует.

— Тогда, когда любовей с нами нет, тогда, когда от холода горбат, достань из чемодана пистолет, достань и заложи его в ломбард. Купи на эти деньги патефон и где-нибудь на свете потанцуй... Это стихи, понимаешь? По улицам ходила большая крокодила, стихи, рифма, искусство, тра-ля-ля, понимаешь? — снисходительно втолковывает Маратик. — Книжная лавка — это игра. Лика — хозяйка книжной лавки — выдумка.

— Я не понимаю, почему игра? Люди же ходят... Лика обсуждает с ними книги, вы приносите людям конкретную пользу... Значит, не игра и не выдумка.

Маратик оборачивается ко мне:

— Тупой не понимает. У Тупого нет чувства юмора, он не умеет играть. Как общаться с этим питекантропом? Мне сделать вид, что он нормальный?

Хорошо, Тупой, ты прав, лавка «Чемодан» не выдумка... Может, ты хочешь помочь? Давай ты будешь... будешь вести у нас соцсети?

— Если надо, я могу, — говорит Саня.

Маратик хохочет, я тоже. Это и правда очень смешно: соцсети придуманной книжной лавки, в которую во время самоизоляции приходят соседи с Рубинштейна, ну, в крайнем случае с Фонтанки и Пяти углов.

...Саня начал рассказывать, как в его жизни внезапно появился отец, и даже довольно быстро дошел до самого интересного — отец оказался олигархом, ну или почти олигархом. И тут Маратику позвонили.

Иногда Маратик разговаривает по телефону рядом со мной, не вставая с дивана, а иногда выходит в лавку, чтобы я не слышала. Когда он выходит поговорить в лавку, я начинаю беспокоиться: опять какие-то проблемы, долги, опять он куда-то исчезнет...

Маратик взглянул на экран, кто звонит, молниеносно слетел с дивана и направился в лавку и вдруг остановился. Молча послушал, сказал «я понял», нажал отбой и заплакал.

Заплакал! Маратик заплакал!.. Я сначала не поняла, думала, он смеется, — он закрыл глаза руками, плечи тряслись. Я думала, он смеется, а он плакал. Вот скотина бессмысленная! Опять у него неприятности, опять долги!

Я подбежала и прижала его к себе. Маратик намного выше меня, я прижимала его к себе на уровне живота. Я спросила — опять?

Маратик идиот.

Я прижимала Маратика к себе, бормотала «скотина, скотина, скотина, как же мне надоели твои скотские дела...», Саня смотрел на Маратика своим фирменным взглядом «я тут, я помогу» и бубнил «ну что такого-то, ничего такого, ладно тебе, подумаем и решим». Подошел, прижал нас обоих к себе, так мы стояли втроем, как две матрешки в большой матрешке. Саня добрый: не уважает Маратика, даже можно сказать, презирает, и все равно готов помогать. Саня любит помогать, но откуда у него деньги?

— Покер? Когда это кончится? У тебя что, одна извилина? — сказал Саня.

— Проект? Почему одна извилина, у него целых две, — сказала я.

Я все о Маратике знаю. Он рассказал мне, как провел последний год. Как только у него появляются деньги, он идет играть. В манию уверен, что выиграет, а в депрессию — что проиграет. Если выигрывает, тут же замышляет какой-нибудь проект. Для осуществления проекта нужны деньги. Проект проваливается, остается долг. Проиграл или выиграл, в остатке всегда остается долг.

Саня три раза спросил «покер?», я три раза спросила «проект?». Маратик кивнул и всхлипнул. Когда плачет человек, который всегда смеется, значит, большой долг, огромный. От ужаса я закричала, как кричат мамы на детей, громко и беспомощно:

— Ты обещал больше не играть, скотина зависимая! Что это за жизнь вообще?!

— Скотина зависимая, скотина, — согласился Маратик, вытирая слезы. — Когда Николенька Ростов проиграл имение, ты не говорила ему, что он скотина...

— Покер, долги — это нормальная жизнь? Нет, ты скажи, скажи! — упорствовал Саня. В Сане иногда просыпается учитель, моралист и гадина. Зачем бить лежачего, зачем вот это гадское учительское «нет, скажи, скажи!»?

— Ну, ладно, черт с вами, скажу, — сказал Маратик. И сказал. Ему позвонили, чтобы перенести время приема. Он думал, что ему позвонили по другому поводу. Он подумал — донор нашелся. Оказалось, что ему перенесли время приема у врача, вот он и сорвался.

Маратик идиот.

У Маратика ремиссия. Маратик болен, сейчас у него ремиссия. Ему нужна трансплантация костного мозга. Операцию можно сделать только во время ремиссии. Пока он в ремиссии, нужно найти донора. Если во время ремиссии донор не найдется, будет очень плохо. Если донор не найдется, у Маратика может быть рецидив. Во время рецидива операцию делать нельзя. Только во время ремиссии.

Донор нашелся в середине марта. Но этот донор в Германии. В конце марта закрыли авиасообщение между странами, привезти донорский трансплантат из Германии невозможно. В конце марта еще была надежда, что привезут, а в начале апреля стало ясно, что нет.

Услышав слова «трансплантация костного мозга», Саня побледнел: он боится медицинских терминов, боится крови, в обморок падает, когда берут кровь из пальца. Вот странность: ходит к старикам и боится крови!.. Я боюсь старости, а он боится крови.

— Но ведь это для спасения жизни, неужели нельзя как-нибудь доставить? — возмутился Саня. — Я бы...

По его лицу было понятно, что он готов идти через всю Европу пешком. Маратик сказал, что это коснулось не только его, в клинике отложили многие трансплантации, людям просто не повезло... и ему не повезло.

Нужно ждать, когда найдется донор для трансплантации костного мозга. Если найдется донор, можно делать операцию. У Маратика была надежда на операцию, надежда сменялась отчаянием, надеждой, опять отчаянием. Вот, оказывается, что в нем происходило, когда мы лежали рядом и смеялись. Мой бедный Маратик.

Он сказал, что к зиме будет нормальным человеком. Зимой... зимой он собирался быть нормальным человеком, зимой... Зимой Маратик может умереть. Если не найдется донор. Может стать «нормальным человеком», а может умереть. Маратик идиот. Зимой может умереть.

— Хорошо, что это не онкология, — прошептал Саня.

Мне иногда кажется, что Саня ходит в детский сад. Детский сад, самообман, что «онкология» страшно, а все остальные болезни нет. Болезнь крови, которой болеет Маратик (что-то с эритроцитами), очень плохая. Какая разница, называется она онкология или нет? Какая вообще разница, как она называется?! От нее умирают, иначе ему не потребовалась бы пересадка костного мозга.

— Он болен, значит, у него пониженный иммунитет, — сказала я. Я сказала это Сане, как будто Маратика не было рядом.

— У него пониженный иммунитет, значит, ему нельзя заразиться! — сказал Саня, как будто Маратика не было рядом. — Послушай, до меня только что дошло: это же самоубийство. Он совершает самоубийство: ходит неизвестно где, ради игры в карты рискует жизнью... А ему нельзя заразиться.

— Я и не заразился, я соблюдаю все предосторожности, играю в маске и перчатках, — надменно сказал Маратик. — Вы что, со мной не разговариваете?.. Я вообще смотрю на это иначе: вот я заболел, это случайность. Если донор найдется, это тоже случайность. Как будет, так будет. Я фаталист.

— Его надо запереть дома до изобретения вакцины, — сказал Саня.

— Почему вы со мной не разговариваете?!. — рассердился Маратик. — Может, вакцину изобретут, когда меня уже не будет! Мне что, всю оставшуюся жизнь сидеть и бояться? Но это все равно что я уже умер! Жизнь может быть короткой, но хотя бы нормальной.

Саня сказал, что у него только один вопрос: какие шансы на выздоровление?..

— Выздоровление возможно, — ответил Маратик.

— Полное выздоровление? — хором спросили мы с Саней.

— Полное выздоровление возможно, — подтвердил Маратик.

— Вообще полное? Стопроцентное? — уточнил Саня. — Совсем?

Маратик сказал, что вообще полное стопроцентное совсем выздоровление возможно.

Мы же не будем сейчас думать, что если возможно полное выздоровление, то возможно и неполное? И что такое неполное выздоровление? Мы будем радоваться, что вообще полное стопроцентное совсем выздоровление возможно.

— Я подумал: если буду жить взаперти, то донор не найдется, а если не буду жить взаперти, донор найдется, — объяснил Маратик, радуясь, что с ним опять разговаривают. — Балда? Ты что ревешь? Он найдется! Найдется донор! Знаешь примету: «Не везет в картах, повезет в любви»? Я вчера опять проиграл, значит, мне точно повезет, донор найдется.

От всего этого я совершенно обалдела, а кто бы не обалдел? Маратик болен. Маратик может умереть.

Саня полез в интернет, прочитал вслух: «Существует много очень серьезных рисков и побочных эффектов при пересадке костного мозга: кровотечение, инфекционное заболевание, понос, бесплодие, проблемы с печенью, кожная сыпь...» При слове «понос» Маратик засмеялся и сказал «серьезный риск — понос», за ним засмеялась я. Мы смеялись и смеялись, до слез, я даже начала икать, уже не хотела смеяться, но не могла остановиться.

Я слышала, что от ужаса и шока случается смеховая истерика и что смеховая истерика может быть коллективной, но не знала, как это бывает: мы с Маратиком смеялись, смеялись и повторяли «понос и бесплодие, ха-ха-ха». «Проблемы с печенью», — что смешного в проблемах с печенью? А «кожная сыпь», в кожной сыпи что смешного?.. Дальше было написано «спазмы мышц, судороги ног, онемение, смерть». Так и было написано: один из рисков — смерть. Мы с Маратиком икали от смеха: риск — смерть!.. Саня молча смотрел на нас, потом повертел пальцем у виска и вдруг тоже засмеялся. Даже у Сани случилась смеховая истерика, вот какой это был шок.

Саня думал, что трансплантация костного мозга — настоящая операция, с разрезом. Поразительная безграмотность. Добро пожаловать в клуб: у меня ОКР в легкой форме, у Маратика БАР в легкой форме, у Сани слабоумие в легкой форме. Вообразил, что донора разрежут, вынут из него костный мозг и пересадят Маратику.

Маратик объяснил, что у донора возьмут кровь, а ему поставят капельницу с пакетиком донорской крови. Саня побледнел и выскочил из комнаты: ему плохо при слове «кровь». Вернулся, полез в интернет, прочитал вслух из какой-то найденной статьи: «В Москве и Санкт-Петербурге федеральные медицинские центры временно отложили ряд запланированных трансплантаций костного мозга. Причиной стала пандемия коронавируса: доставить иностранный донорский материал невозможно из-за закрытия границ, внутри страны также вводятся различные ограничения. Об этом сообщил фонд AdVita... график на апрель полностью сформирован из трансплантаций от доноров из российских регистров. Благотворительный фонд AdVita добавил, что по удивительному совпадению почти все из них оказались из Петербурга».

Вот. Почти все доноры из Петербурга! Маратик сказал, что чаще всего генетические близнецы живут в одном регионе. Донора ищут по всему миру, а неродственные доноры, генетические близнецы, рядом. Сказал, что только тупые умы, как я и Саня, ищут для любого события причину, не принимая во внимание случайные факторы в случайных траекториях. С точки зрения математики случайных блужданий это вовсе не такое уж невероятное событие. Сказал, что нам с Саней пригодилась бы математика случайных блужданий: может, мы бы познали суть бытия.

От слова «блуждание» нам опять стало смешно. В этот вечер нам было все смешно.

Маратик сказал, что с завтрашнего дня запрещается упоминать то, о чем говорить нельзя. Это новое строгое правило.

— О чем нельзя упоминать? — спросил Саня.

Я пояснила Сане, какие слова запрещается произносить в этом доме с завтрашнего дня: донор, болезнь, операция, больница, врач, трансплантация, костный мозг, эритроциты. Саня спросил:

— А что, нельзя даже узнать, как он себя чувствует?

— Ну, Тупой, какой же ты тупой... — восхитился Маратик.

«Тупой, Балда и Маргинал» звучало ужасно смешно, как будто мы банда из мультфильма. Весь вечер мы смеялись, не переставая, никогда я столько не смеялась.

Саня хотел подробно изучить риски при пересадке костного мозга: думал, мы можем что-то сделать для Маратика, как-то особенно за ним ухаживать.

— А слово «деньги» можно сказать? Деньги? Деньги на операцию надо собирать? — с надеждой спросил Саня. Ему легче, когда он может сделать что-то практическое.

Маратик сказал, что нет, Саня ничем не может помочь, ничего принести и ничего купить, не кефир, не валокордин ему не нужны, деньги на операцию есть, пусть Саня идет по своим волонтерским делам и оставит нас в покое. Мы останемся одни, ляжем на диван и до послезавтра будем лежать на диване. До послезавтра, потому что послезавтра Маратику нужно в клинику, на прием к врачу.

Саня накинул куртку, чтобы выйти на улицу и снять с нашего окна вывеску «Книжная лавка „Чемодан"».

— А что, мы больше не будем играть? — удивился Маратик.

Саня сказал:

— Сейчас не до игры.

— Нам всегда до игры. Мы что, будем тупо ждать, когда найдется донор? — скривился Маратик. — Слушай, Саня, не нужно укладывать меня в постель и убаюкивать, просто иди домой... Уйди уже, а?..

Это было невежливо, но я его понимаю. С Саней иначе нельзя. Саня смотрел на Маратика так, как умеет смотреть только он: взглядом спасателя и спасителя, серьезно, сочувственно, вдумчиво. От такого взгляда хочется убежать, спрятаться под одеяло, там, под одеялом, есть овсяное печенье и хихикать. Что мы и сделали. Печенье у нас было, Саня принес, мы не успели его доесть, хотя именно овсяное обычно у нас не задерживается.

Как только мы доели овсяное печенье, все, что мы так старательно засмеяли и заели печеньем, подступило опять.

Есть кое-что, о чем я хотела спросить у Маратика, когда мы останемся вдвоем. О маме. По новым строгим правилам сегодня еще можно поговорить с Маратиком, а потом мы будем жить, не упоминая то, о чем говорить нельзя.

— А что, родственных доноров нет? Обычно начинают поиск с родных. Это самое лучшее. Потом, если родственных доноров нет, ищут по всему миру.

Маратик сказал, что у мамы другая группа крови и отрицательный резус, у нее в паспорте стоит штамп.

— Если она появится, скажешь, что я исчез. Она знает, что я живу с девушкой в Довлатовском доме. Если она появится, можешь сказать, что не знаешь, где я?

— Кому сказать? — тупо переспросила я. Как Саня.

— Если она вдруг появится, можешь сказать, что мы с тобой расстались, я исчез, ты не знаешь, где я, и ты теперь с Саней, ок?

— Ок, если она вдруг появится, я должна буду сказать, что мы расстались, ты исчез, я не знаю, где ты, и я теперь с Саней. Но почему?

— Она не знает.

— Твоя мама не знает — что?

— Она не знает.

Невозможно такое вообразить! Мама Маратика не знает, что он болен. Он болен, а его мама не знает. Как можно в это поверить?! Он заболел, ему делали химию, ему было плохо, его тошнило, он лежал, отвернувшись от мамы, не мог есть... и мама не знает?! Как можно это скрыть?.. И зачем скрывать?

Тем более Маратик — маменькин сынок, домашний мальчик! Ну, или был домашний мальчик.

— Я не хотел стать больным, что тут непонятного?

Маратик не сказал маме, что плохо себя чувствует: думал, что это ошибка, анализы перепутали или неправильно поставили диагноз. Думал, если скажет, ему конец — мама затаскает его по врачам, уложит в постель, запрет дома, и все, он станет больным, и будет больным. Когда понял, что диагноз не ошибка, хотел сказать, но...

— Но как-то не получилось. Я сто раз начинал: «Мама, я...» И каждый раз не мог закончить. Смотрел на нее и думал — вот сейчас скажу, и она станет самым несчастным человеком на свете. Это как будто занес нож над человеком — сейчас ударишь его ножом и убьешь. ...Ну, конечно, иногда не мог скрыть, что мне плохо, ложился и лежал носом к стенке. Говорил, что меня девушка бросила, или я хочу бросить аспирантуру, не знаю, чем заниматься, не могу найти свое место в жизни... В общем, у меня была то несчастная любовь, то поиски себя...

Когда наступила ремиссия, Маратик сбежал из дома.

Маратик объяснил: мама совсем не умеет ждать. У нее такая особенность — не умеет ждать. Подарок Маратику на Новый год кладет под елку в декабре, вытаскивает, дарит и кладет новый, опять не выдерживает и дарит, опять кладет новый. Маратик получает на Новый год от десяти до пятнадцати подарков.

— Так всегда было: стоит мне сказать, что я что-то хочу, она в тот же день найдет и подарит... а мой день рождения начинает праздновать накануне, совсем не умеет ждать, как маленькая... Если бы ей нужно было ждать, подействует ли химия, она бы не выдержала. А сейчас ждать, когда найдется донор?! Сейчас ни в коем случае нельзя рассказывать. Ремиссия — самый неподходящий момент, чтобы рассказывать.

Маратик сказал, что мама стала очень мнительной: просит, чтобы он не катался на лыжах, не нырял, не летал на самолетах, ее пугает любой риск. Даже езда на машине пугает, а если он летит на самолете, ей становится плохо. Она, наверное, что-то чувствует.

— Но я в этом году все равно не мог кататься на лыжах и нырять и никуда не летал... так что в этом смысле все удачно получилось.

— Слушай, это же героизм, подвиг... подвиг ради любви, — сказала я.

— Ой, ладно, подвиг... Ну, я не много могу для нее сделать, но хоть это.... Я, когда был маленький, думал: вырасту и все ей куплю, все для нее сделаю. ...Я же могу сделать для нее такую малость? Не заставлять ждать, умру я или нет.

Я молчала. Маратик, такой гениально непостоянный, ускользающий, оказывается, такой героический преданный сын. Вот честно, от Маратика я этого не ожидала.

— А отец?

— Нет. Тогда придется рассказать, зачем. А если просто спросить, как будто я хочу его найти, ей будет неприятно.

«Неприятно», когда речь идет о жизни?..

Конечно, я все это время, весь вечер, думала, что я уже сдала кровь и почти подошла кому-то. Если бы я была ребенком, я бы сейчас думала: все сходится, мы генетические близнецы: он читает мои мысли, мы мгновенно заиграли вместе, как дети в песочнице... И ликовала бы: ура, я спасу ему жизнь!

Но я взрослый человек. Я уверена, что пациент, для которого меня проверяют, не Маратик. Найти Маратику донора — один шанс из десятков тысяч, и чтобы я подошла кому-то — тоже один шанс из десятков тысяч. А сколько шансов, что в конце марта, как только закрыли границы и немецкий донор стал недостижим, произошло чудо — мы встретились на помойке, в ту же ночь заснули на одном диване, стали одним духовным существом (почти одним, не считая любви к покеру, чипсам и шоколадкам) и оказались донором и реципиентом? Ноль шансов. Если соответствие подтвердится, я стану донором для кого-то, не для Маратика. ...Получается, я для него бесполезна, ничем не могу помочь, ничего не могу сделать... только жить, как прежде.

— ...Лика? Ты спишь?

— Отстань, я сплю... нет, не сплю. Я думаю: ты скотина, нет у тебя никакого БАР!

— У меня нет биполярного расстройства? — оскорбился Маратик. — В легкой форме точно есть...

— Ты врун, врун, врун, у тебя нет никакого БАР. — Я била его подушкой.

Я сама поставила ему диагноз БАР, но он со мной согласился! Я вдруг разозлилась, как будто Маратик обманул меня и заставил зря переживать, как будто БАР — самое плохое, что может быть, как будто БАР хуже, чем болезнь крови. Не знаю, что на меня нашло. Просто не могла иначе выразить свои чувства.

— У меня лихорадочная активность сменяется депрессией, это признак биполярного расстройства. Почитай, если не веришь, везде написано, — тонким врущим голосом сказал Маратик.

— У тебя и игровой зависимости нет, — холодно сказала я, отбросив подушку. — Ты врал.

Маратик мирно улыбнулся:

— Ну, что ты... Так далеко я не заходил, чтобы придумать себе игровую зависимость. Это есть. Что есть, то есть.

Чтобы не переживать так сильно, нужно разозлиться, подумать о человеке плохо, и я стала думать о Маратике плохо: вообще-то свинство, что он мне не сказал, что болен! Каждую ночь лежал рядом, держал меня за руку и не сказал!

Но ведь и я лежала с ним рядом, держала его за руку и не все рассказывала, не раскрывала свои сумасшедшие мысли.

Например, стоя на платформе метро, я иногда думаю, что могу броситься под поезд. И тут же вспоминаю статью «Как выжить, если вы упали на рельсы в метро». Кажется, самое

главное — не трогать контактный рельс, но где этот рельс?..
Конечно, я не собиралась бросаться под поезд, но все равно
о таком стыдно рассказать.

Если у меня, внешне совершенно нормального человека,
целый набор странных стыдных мыслей, то и у других есть.
Я никогда об этом не узнаю: никто не рассказывает о своих
фобиях и страхах и не расспрашивает других. Не говорит:
«Привет, а я только что, стоя на платформе метро, пред-
ставлял, что непреодолимая сила вдруг заставит меня
шагнуть с платформы... Ну, а ты сегодня как?» Каждый человек будто запертый сундук на чердаке. Чердак тоже за-
перт, что уж тогда злиться?..

**Цитата дня:**

— Господин кюре, — сказал гость, — как вы добры, вы не презираете меня. Вы приняли меня к себе. Вы зажигаете для меня свечи. Я, однако, не скрыл от вас, откуда я пришел и какой я несчастный.

*В. Гюго. «Отверженные»*

Всё не так, как думаешь. Я думала, что мы не сможем жить, как прежде. Я представляла себе нашу жизнь как что-то совершенно новое: мы с Саней будем поддерживать Маратика и все втроем будем каждую минуту мысленно держаться за руки. И что это будет очень большое усилие — не думать каждую минуту, что Маратик болен, не думать каждую минуту, что возможна смерть.

Но все не так, как думаешь: утром не поддержка и участие, а каша. Все то же самое, как будто ничего не было, — каша и разговоры.

— Ну да, Тупой у нас высокий, мужественный, атлетического сложения, хороший, как Тимур и его команда, полная противоположность плохому Маратику. Но я, например, не вижу в нем никакой роковой сексапильности, — помешивая в кастрюльке кашу, сказал Маратик. — А ты?..

Может быть, причина в нашем небольшом возрасте? Может быть, из-за того, что мы еще не окончательно взрослые, нам интересней обсуждать друг друга, какие мы, наше отношение к чему-то... ко всему? Если бы мы были старше, мы бы сейчас сидели с серьезными лицами? Не обсуждали бы Санину сексапильность?.. Плакали бы? Или так же варили бы кашу?

Но ведь мы не могли ничего делать, никак действовать, могли только ждать. Единственное, что было по-другому этим утром: я все время поглядывала на телефон — может, зазвонит? На свой телефон и Маратика.

— ...А как ты можешь судить о его сексуальной привлекательности? Ты же мальчик. ...А-а-а! Ты что, скрыл от меня, что ты гей? Я нормально к этому отношусь, давай говори, у тебя хоть раз в жизни был гомосексуальный контакт?..

— Господи, нет.

— Ты говоришь неуверенно, значит, был.

— Нюансы и перипетии моей интимной жизни не твое дело, Балда.

— Все мое дело. ...Каша сгорела!

## ТЕМНО-СИНИЙ БУНИН

**Цитата дня:**

— Я совсем не могла обедать, — сказала она. — Я думала, что не выдержу эту страшную роль до конца. И ужасно хочу пить. Дай мне нарзану, — сказала она, первый раз говоря мне «ты».

*«Темные аллеи»*

Утром я села за перевод: это первый заказ с начала карантина, заказ небольшой, просили сделать быстро.

Утренний покупатель, ранняя пташка, убеждал меня, что среди хороших писателей женщин не бывает: женщина может быть приличным беллетристом, но сказать о мире что-то принципиально новое не может. У покупателя были салфетки и полиэтиленовый пакет: чтобы открывать двери рукой в салфетке, а салфетку потом выбрасывать в пакет.

Покупатель нарисовал мне на салфетке картинку: как женский и мужской мозг отличаются друг от друга. Привел в пример своих любимых английских писателей: Моэма, Стоппарда, Мердок, Фаулза. Утверждал, что Айрис Мердок — мужчина, отказался посмотреть Википедию, потому что в Википедии случаются ошибки. Купил «Подводя итоги». Было жалко продавать, это моя любимая книга Моэма. Нет, «Театр», конечно, тоже любимая, просто немного обидно, что «Театр» знают все, а «Подводя итоги» нет. Критики того времени написали, что это книга «законченного циника». Жалко, что он ее купил.

Следующий покупатель сказал, что его любимые писатели — Мураками и Донцова. Донцовой у меня целый ящик, а Мураками только «Хроники заводной птицы», «Кафка на пляже» и «Норвежский лес». Спросил, про что «Норвежский лес», я сказала — про то, как жить после потери близкого человека. Он купил три книги: «Пиявка голубых кровей» Донцовой, «Глазастая, ушастая беда» Донцовой и Мураками, «Кафка на пляже». Раньше я относилась к Донцовой иронически, но теперь отношусь к ней очень серьезно. Ящик Донцовой одна из покупательниц принесла мне в подарок. Рассказала: «У меня была очень неприятная операция по женской части, не буду говорить, какая именно, вы сами догадались. Настроение было ужасное, не хотелось жить... спасалась только Донцовой». Я не догадалась, какая у нее была операция, но после этого рассказа отношусь к Донцовой с большим уважением: она спасла чью-то жизнь, спасать своими книгами жизни — это очень круто.

Еще один покупатель оказался не совсем покупателем: пришел со своей книгой. То есть он написал книгу и хотел мне ее продать. Я сказала, что не покупаю такие книги, и он закричал: «Вы против лесбиянок!» Я не против, просто я имела в виду, что не могу купить книгу, напечатанную на машинке.

И все это было утром!.. Как будто всем с утра некуда податься, кроме как в книжную лавку «Чемодан».

Я опять села за перевод. Раздался звонок: пришли проверить электрические счетчики. Но ведь сейчас карантин, разве в карантин проверяют счетчики? Маратик спит, я дома одна... Скажу тоненьким голосом: «Взрослых никого нет, мама не разрешает открывать дверь».

— Я не могу открыть дверь... — сказала я и добавила: — ...Я алкоголичка, меня запирают.

Не знаю, почему я так сказала. Безумие заразительно, видимо, я заразилась от утренних покупателей. Или просто вспомнила Прелестную Анечку. Прелестную Анечку запирают дома, чтобы она не вышла за пивом. Не всегда, конечно, только когда у Анечки запой. В своем хорошем периоде Анечка очаровательная, нежная, тихая, умная, милая, самая лучшая.

У Прелестной Анечки сейчас хороший период: вчера была у нас, читала в зеленом кресле «Обещание на рассвете». Анечка говорит: «Книги лучше, чем любовь». В лавке «Чемодан» все против любви — Маратик, Анечка. Рассказывала мне, как вышло, что она пьет: ее предал любимый человек. Ей показалось, что от бокала вина становится легче, а потом вот так... Какая беда — не понять, от чего тебе становится легче.

Я даю Анечке читать свои любимые романы, потом, если Анечка захочет, мы их обсуждаем. Только с ней я могу поговорить о персонажах, будто они живые люди.

Я так люблю «Обещание на рассвете» Ромена Гари, что никогда больше не буду читать. Мне достаточно знать, что эта книга есть, и иногда советовать ее, но не кому попало, только особенным людям, тем, кто может почувствовать.

Мне показалось, что Анечка плачет, и я вышла в лавку. Так и было, Анечка плакала.

— Он пришел с войны и узнал, что мама умерла, а письма, которые он от нее получал, написала заранее!.. Послушай, а тебе не кажется, что такая любовь к сыну — это слишком? Он всю жизнь будет думать, что его никто не любит так, как мама. ...Что, так и было?! Откуда ты знаешь? Он про себя написал? Ты знала, знала и не сказала...

Но я же не знала, что надо сказать! В следующий раз скажу.

...Ну и наконец перед закрытием в окно постучали. У нас нет часов работы, поэтому «перед закрытием» может означать любое время — и три часа дня, и девять часов вечера, это просто время, когда я хочу закрыть лавку. Перед закрытием в окно постучала девушка. Ей срочно понадобилась книга «Как стать дрянной девчонкой в постели». «Буквоед» закрыт, «Лабиринт» доставит ей эту книгу не раньше, чем через два-три дня, а книга нужна ей срочно, поэтому она пришла к нам. У меня нет этой книги.

«Ужасно, что у вас нет», — сказала девушка.

Мы немного поссорились через окно. Я считаю, что книгам такого рода не место в книжной лавке «Чемодан». Девушка считает, что я сноб и в этой книге много полезного про «волшебную кнопочку» в женском теле. Сошлись на том, что я могла бы выложить такие книги на отдельный столик с табличкой «Не стесняйтесь».

Когда девушка ушла, я подумала: что, если это звучит как «Не стесняйтесь, если вы идиот»? Лучше нейтральное «Если кому-то надо, то вот»... Нет, это намек на то, что человек не разбирается в сексе, лучше еще более нейтральное: «Не только классика».

Закончила перевод.

Прошло шесть дней и пять часов после того, как я сдала анализ. Не звонили.

**Цитата дня:**

— Поверьте, мисс Вудхаус, — овладев собою, — когда вы сознаете, что поступили дурно, очень дурно, то для вас чрезвычайно утешительно, если друзья ваши, которых вы более всего страшитесь потерять, не отвернулись от вас с презреньем...

*«Эмма»*

✓ эпикурейцев на одном диване — трое

У нас прекрасная жизнь. Днем Саня ходит по своим волонтерским делам, а поздно вечером приходит к нам, и мы валяемся на диване и разговариваем.

Почему Саня все вечера проводит у нас? Мы с Маратиком рассматривали несколько вариантов, почему Саня все вечера проводит у нас:

— За полгода, что Саня жил в Москве, он растерял всех своих друзей, и я оказалась его самым близким, привычным человеком в Петербурге. Нет, не годится: за полгода друзей не растеряешь, и у Сани много друзей.

— Мы всегда дома. Нет. Сейчас все всегда дома.

— Саня внес нас с Маратиком в список своих «несчастненьких», как у Толстого. Да, это возможно: Саня любит всех опекать.

— Саня опять в меня влюбился. Да. Да, да, да! Любовь ведь, как известно, засушенный лист: брызнешь водой, она и оживет. Засушенный лист — самый лестный для меня вариант.

У нас прекрасная жизнь. Раньше, до карантина, я всегда думала, что что-то упускаю: если я сижу-перевожу, то почему я не на вечеринке? Если я на вечеринке, то почему на этой, а не на другой, может, там лучше? Если у меня много переводов, то почему я тупо перевожу, а не пишу диссертацию и не делаю карьеру? А может быть, наплевать на диссертацию и набрать еще больше финских переводов и больше зарабатывать? Если занимаюсь диссертацией, то зачем мне устойчивые словесные комплексы в английском бизнес-дискурсе и почему зря проходит жизнь?.. Как будто я сама за собой следила: контролирую ли я свою жизнь, пишу ли диссертацию, общаюсь ли с правильными людьми?.. И вдруг пауза!

...И вдруг пауза, можно передохнуть. Именно сейчас я полностью контролирую свою жизнь: играю в книжную лавку, вечерами валяюсь на диване с Маратиком и Саней. Между нами тремя новые особенные отношения: как будто мы друг друга не боимся, не стесняемся и можем говорить обо всем. Наверное, эта откровенность из-за близости смерти: мы никогда не говорим о болезни, не произносим запрещенных слов вроде «донор» и «трансплантация», не спрашиваем, не звонили ли Маратику. Мы все трое уверены, что донор найдется и Маратик не умрет, но оттого, что это как бы жизнь на острие, возникла особенная атмосфера: как будто мы в домике. И — вот чудо! — даже ситуация с вирусом как будто отлетела. Я перестала ежеминутно думать, что вирус доберется до мамы: эпидемия в Италии идет на убыль, она сидит взаперти. А за себя я больше не боюсь, не знаю почему. Просто надоело бояться.

— ...Вы бы сейчас думали: какой кошмар, что не платят зарплату! Думали, где взять деньги на ипотеку.

— Что? Какую ипотеку?

— Если бы ты вышла за замуж за Тупого, у вас была бы настоящая «хорошая семья»: в пятницу заказываете пиццу, в субботу за продуктами в «Мегу», в воскресенье к родителям, перед рабочей неделей лечь спать пораньше. В кино бы ходили, в музеи, общались бы с такими же отвратительными людьми, как вы... раз в две недели за бутылкой вина. Ипотеку бы выплачивали. Секс по вторникам и субботам. Твое, Балда, ОКР расцвело бы! Идеальный порядок, все по плану, у каждого ежедневник расписан на неделю вперед... и ни одной крошки на диване.

— А что плохого? Нормальная жизнь, — возразила я.

Возразила только из чувства противоречия. Не хочу такую жизнь. Лучше умереть, чем так жить. Не знаю, какую жизнь я хочу, но точно другую.

— Но у него же обнаружился отец-олигарх, это меняет дело: если ты выйдешь за него замуж, не нужно будет платить ипотеку, отец купит вам квартиру в Москве на Красной площади.

Может показаться, что Сани здесь нет. Но Саня здесь, на диване. Мы с Маратиком лежим на одной стороне дивана, Саня полулежит на другой. Это идея Маратика, чтобы мы разговаривали лежа, как эпикурейцы, и тут же, на диване, ели.

Может показаться, что Маратик завидует Сане. Он и правда завидует, но не отцу-олигарху, а тому, что у Сани отец нашелся, а у него нет.

У Сани такое случилось, как в женском романе! Жаль, что я при этом не присутствовала: через несколько дней после того, как мы с Саней расстались, ворвался, как ракета-боеголовка, Санин отец и разметал Санину жизнь,

— Если бы я рассталась с тобой на несколько дней позже, я могла бы во всем участвовать! — сказала я, и Саня — все-таки он очень хороший — не напомнил мне, что вообще-то это он со мной расстался, а не я с ним. Но недаром говорят «что ни делается, все к лучшему»: Саня со мной расстался, я пошла на курсы литературного мастерства, встретила СН. А если бы Саня со мной не расстался, не встретила бы СН, и что?.. Думала, где взять деньги на ипотеку?!

Вот история, в которой я могла бы участвовать: Санин отец позвонил, нет, не по телефону, а сразу в дверь. Что, конечно, говорит о его характере: врываться, как ракета-боеголовка, в дом, из которого тебя выгнали.

Дело в том, что Саня родился в день, когда его отец получил аттестат о школьном образовании. Санина мама, Полина (она такая молодая, что ее можно называть по имени), родила Саню от своего одноклассника. Одноклассник пришел с цветами посмотреть на ребенка и сделал предложение, но родители Полины попросили его об одном: исчезнуть, забыть про Саню. Они считали, что Полина когда-нибудь выйдет замуж по-настоящему, и у ребенка появится отец. Но вышло не так: у Сани через десять лет родилась сестра, но Полина не вышла замуж. Так никто и не стал Сане отцом.

И вот, как в сказке, появляется Санин отец. И, как в сказке, Санин отец не то чтобы олигарх из списка «Форбс», но очень обеспеченный человек, почти-олигарх: у него сеть аптек в Москве и по всей России. Как в сказке, Саня его единственный сын. Есть дочки от разных жен, но Саня — единственный сын и наследник. Специальный человек собрал досье на Саню, чтобы почти-олигарх не получил сына наркомана или бездельника. То, что он узнал о Сане, его полностью удовлетворило.

Отец пришел к ним на Фонтанку и велел Сане собираться. Он забирает Саню в Москву, отдает учиться в МГИМО. Его единственный сын не будет учителем физики, учителя все неудачники. Санин отец не выносит неудачников, считает, что слабых сметет естественный отбор, и туда им и дорога.

Саня сказал, что совершенно обалдел от того, что его отец — богатый человек. Не потому, что у отца много денег, а потому, что тот уверен, что деньги дают ему право управлять людьми. Например, Саней и его мамой.

Санины родители не спорили, что лучше — быть учителем в Петербурге или учиться в МГИМО, чтобы стать юристом по международному праву. Полина не сомневалась, что Сане нужно в Москву, в МГИМО. Они все время (отец провел у них неделю) спорили на теоретические темы: о богатстве и бедности.

Полина утверждала, что богатый Санин отец богат из-за своей аморальности и что его сильный характер как раз признак аморальности. Отец говорил, что Полина бедная по причине своей глупости и недостатков характера.

Отец говорил, что богатство — знак качества личности. Полина говорила, что богатство вовсе не знак качества, а, наоборот, знак низости личности. Санины родители, совсем как Саня с Маратиком, доказывали друг другу, чья жизнь правильней. И у них, конечно, возник роман. У них был бурный роман: Саня смущенно сказал «они подружились», и я поняла, что был бурный роман, ведь они были когда-то влюблены, а их разлучили.

Отец хотел сделать Сане в Москве генетический тест. Не тест на отцовство, а генетический тест. Полина обиделась, отец уехал в Москву и забрал с собой Саню. Отец сказал, что Саня должен получить юридическое образование как инструмент для бизнеса, чтобы когда-нибудь заменить его в бизнесе, и, может быть, он прямо сейчас выделит ему часть бизнеса, чтобы Саня мог попробовать себя. В Москве Сане сделали тест.

— Как будто если ему не понравится тест, то он отправит тебя обратно, — сказал Маратик.

— Мама говорит, что он талантливый в бизнесе, но странный: не понимает, что чувствуют другие люди. Решает за всех.

Маратик опять обратился ко мне, как будто Сани здесь нет:

— А чего ж он уехал, если не хотел, чтобы за него решали?.. Ничего себе, приходит чужой дядя, говорит «я твой отец». Близости никакой нет, как может возникнуть близость с чужим человеком? Но поехать учиться в МГИМО, почему бы нет?.. Но почему он не в бизнесе, а учителем в школе? Никто не бросает МГИМО, чтобы стать учителем. Печальный жираф нам врет, а ты дура, если веришь.

О каждом можно сказать смешно, каждый похож на какое-нибудь животное. Саня и правда похож на умного печального жирафа, Маратик — на нервную тонкую косулю, я — на абрикосового пуделя.

Маратик на секунду задумался:

— Я понял! У нашего моралиста был роман с женой отца. У того наверняка молодая жена, а Тупой — фактурный мужик, что уж говорить!.. Отец узнал и выгнал его. Я думаю, так... А ты как думаешь?

Это была игра: говорить о ком-то, как будто его здесь нет. Со мной о Сане, как будто Сани нет, с Саней обо мне, как будто меня нет, нам с Саней говорить о Маратике, как будто он не лежит рядом со мной на диване.

Я сказала, как будто Сани здесь не было:

— Нет, это невозможно: кто угодно, но не Саня. Ты всех меряешь по себе. ...Нет, там что-то другое. Может, у его отца оказался нечестный бизнес, или он совершил что-то аморальное... ну, не знаю, сбил человека и скрылся. И Саня больше не хочет с ним жить. ...А может, Саня решил, что быть учителем принесет больше пользы? Может, дело его жизни — научить физике? От Сани всего можно ожидать, любого благородства. От нас с тобой можно ожидать любого безобразия, а от Сани любого благородства.

И тут меня кто-то укусил! Комар или мошка. Весной нет комаров, наверное, это какое-то особенное злое насекомое!.. Я тут же представила, как палец распухает на глазах, я не смогу снять кольцо, и у меня начнется сепсис. От внутренней истерики не могла снять кольцо, намыливала палец, дергала, скручивала... Саня нашел в туалетике чемоданчик с инструментами, в чемоданчике напильник, и распилил кольцо. Действовал решительно и быстро.

— Послушай, а что там было, в твоем генетическом тесте? — спросил Маратик, когда мы все опять расположились на диване, и пихнул Саню ногой. — Эй?.. Мы тут, на этом диване, ничего друг от друга не скрываем. Что там было?

Саня покраснел, покачал головой:

— Потом расскажу. Просто отец... Он же меня не растил, не знал, какой я... а когда решил передать мне бизнес, то есть решил готовить меня, чтобы передать мне бизнес... захотел узнать, какой я...

Мы тут, на этом диване, ничего друг от друга не скрываем, но Саня так трагически экал и мекал, что я сказала:

— Отстань, он не хочет говорить, это личное...

— Я не с тобой разговариваю, — строго сказал Маратик. — Тупой, а когда расскажешь? Когда потом? Я долго так могу — когда потом, когда потом?..

— У меня есть ген убийцы. Все остальное нормально, но есть ген убийцы.

Ген убийцы? У Сани?

Маратик полез в телефон. Прочитал вслух:

— «Нейробиологи взяли образцы крови у заключенных. Выяснилось, что все образцы содержат один или оба варианта гена CDH13 и так называемого «гена убийцы» или «гена воина» MAOA. «Ген воина» участвует в выработке нейротрансмиттера дофамина и в сочетании со злоупотреблением алкоголем и наркотиками провоцирует гормональную бурю агрессии. Ген CDH13 отвечает за развитие связей между нейронами в мозге. Те, кто обладает обоими вариантами этих генов, в тринадцать раз чаще рискуют совершить особо тяжкие преступления в отличие от тех, кто их не имеет. Если прибавить к генам алкоголь и другие химические вещества — рецепт катастрофы готов». ...Ух ты, рецепт катастрофы... Это сильно... Ты поэтому не пьешь? Ну, про вещества я даже не спрашиваю, понятно, что вещества не твой конек... Между прочим, написано, что ген убийцы передается от матери. Значит, ты получил этот ген не от отца. Это не его ген...

Я взяла у Маратика телефон и стала читать:

— Тут еще написано: «Ясно, что не все эти люди — убийцы. Гены, которые мы несем в себе, могут провоцировать агрессию, но быть на стороне добра или зла — выбор зависит только от нас». — Честно, как-то страшно звучит — «ген убийцы», и я обрадовалась, что выбор зависит от нас. — ...Вот, пишут, что очень важна среда, в которой человек вырос, а у тебя такая хорошая мама, и воспитание, и среда... и сестра, и бабушка... и ты всегда всем помогаешь, тебя хлебом не корми, дай кому-нибудь помочь, наплюй ты на этот ген, мало ли у кого какой ген...

— Отец обрадовался, что у меня ген убийцы. Этот ген отвечает за агрессивность, а для бизнеса нужно быть агрессивным. Он прочитал в сборнике статей лучших бизнес-школ мира, что успех в бизнесе зависит от личностных свойств, в первую очередь от уровня агрессивности.

— Тогда все хорошо?.. — спросила я.

— Ну да, все нормально, — сказал Саня, но я видела, что не нормально и нужно сменить тему.

— Послушайте, я поняла! — сказала я. — Кофе!

Я поняла, чего не хватает книжной лавке «Чемодан». Кофе! Не сейчас, конечно, а после отмена режима самоизоляции. Если покупатели смогут выпить кофе, это увеличит поток покупателей и прибавит... ну, в общем, прибавит всего, что нужно настоящей книжной лавке.

— Как вы думаете, бумажные стаканчики или чашки? Я считаю, чашки. Чашки должны быть разные, разные чашки создают домашнюю атмосферу.

— Чашки, однозначно. Я за чашки, — сказал Маратик.

— Бумажные стаканчики, — сказал Саня. — Кофе — это хорошо...

Поскольку Саня поддержал мою идею с кофе, Маратик тут же передумал:

— Кофе?! Дурацкая идея. Может, еще домашние обеды навынос?

Когда закончится это противостояние? Наверное, никогда не закончится. Если Саня скажет, что он против людоедства, Маратик скажет, что он за.

Ночью мы с Маратиком читали на одном ноутбуке «Биологию добра и зла» Сапольски. Очень интересно: насилие неоднозначно, большинство женщин предпочитают героев-победителей, иерархические пирамиды у разных видов животных, например, павиан ведет себя по-разному с тем, кто выше его на ступеньку, и с тем, кто выше на пять ступеней.

— Я бы хотел, чтобы ты опять в него влюбилась, — брюзгливо сказал Маратик.

Маратик расстроился, узнав, что у нас с Саней был роман. Зачем ему, чтобы я опять влюбилась?

— Затем, что, когда это закончится, мы с тобой останемся вдвоем.

— Я не собираюсь влюбляться в одного и того же Саню по второму разу, теперь мы друзья. Мне что, нельзя иметь двух друзей? Два друга на одну меня слишком жирно? Саня — мой друг, как и ты.

Лучше бы я этого не говорила.

— Как я?.. Как я?! — взвился Маратик, и глаза у него стали жалкие. — Я выбрал тебя, доверил тебе свои мысли, свои чувства... Я тебе доверил себя! ...Подумай своей головой небольшой, зачем тебе Саня? Жить нужно с тем, кто тебя смешит. У него нет чувства юмора. Ты думаешь, если что случится, он тебя спасет? Знаешь что? Я сам тебя спасу, если потребуется. Ты можешь на меня положиться.

Я могу на него положиться? На Маратика — положиться?.. Разве я не слышу его разговоров по телефону с девушками и разными сомнительными дружками? Вокруг него всегда какие-то недоразумения, он всех подводит, начинает всех подводить, как откроет глаза.

— В любви людям все время что-то друг от друга нужно, а в дружбе ничего не нужно, только чтобы человек был... если уж ты его выбрал.

— Мне от тебя кое-что нужно. Чтобы ты вымел из-под дивана фантики и упаковки от чипсов.

— Вымету, когда найду время, — надменно сказал Маратик.

СН говорил, что отношения троих сложные, с ревнивым поглядыванием, кто с кем больше дружит, кто с кем как дружит, кто кому дороже. Так и есть.

В результате пришли к соглашению: в книжной лавке «Чемодан» никто ни в кого не влюблен. Все свободны, и, естественно, у каждого может быть секс.

Из нас троих секс точно (или предположительно) есть у Маратика и у Сани. У меня одной нет.

...Из клиники не звонили. Когда я сдавала кровь, врач сказала, что анализ займет какое-то время, очевидно, какое-то время еще не прошло.

**Цитата дня:**

Возможность скопить некую толику денег на подрядах с Фуке дала некоторый простор течению мыслей Жюльена; они уже не так часто омрачались досадой и не заставляли его мучиться горьким сознанием своей бедности и ничтожества в глазах окружающих.

*«Красное и черное»*

Некоторые проблемы никогда не решаются, а некоторые решаются сами собой.

Проблемы, которые никогда не решаются: кто я, зачем я живу, куда я иду, в чем смысл моей жизни. Проблемы, которые решаются сами собой, — новые поступления в лавку «Чемодан».

Маратик, конечно, прав: книжная лавка «Чемодан» — это игра. Но и Саня прав: люди же приходят! Пусть пока только соседи. Разве наша задача — распродать соседям найденные на помойке собрания сочинений? Кто-то из них хочет читать новые модные книги, при этом не имеет привычки заходить в книжные магазины. Таким людям нужны новые модные книги и чтобы кто-то помог им сделать выбор, сказав «вот это хорошее, возьмите, не пожалеете». Нам очень нужны новые модные книги!

Вопрос новых поступлений решился при помощи маньяка с Пяти углов.

Татьяна Николаевна — маньяк чтения, живет на Пяти углах, прочитала о нас в Фейсбуке в группе «Пять углов» и прибежала. Ходила вдоль стеллажей, рассматривала, одобрительно повторяла «о-о, тут есть чем поживиться».

Маньяк чтения покупает все новинки (все!) в магазине «Республика» на углу Невского и Рубинштейна.

Мне нравится, что в «Республике» центральный прилавок называется «Новинки», а не «Лидеры продаж». «Лидеры продаж» в книжном магазине оскорбительно для покупателей: как будто в продуктовом магазине сделать прилавок «лидеры продаж» и положить на него молоко и сметану. А если я это не ем? Почему я должна читать то, что выбрали другие люди?

У Татьяны Николаевны много идей, вот одна из них: у памятника Довлатову провести акцию «Книги — наше прошлое и будущее». Не сейчас, конечно, а летом, когда закончится режим самоизоляции. Выйти с книгами прямо к памятнику. Сейчас улица Рубинштейна тиха и безлюдна, а летом здесь будут гулять толпы людей, и все захотят купить что-нибудь на память. Я сказала, что идея — супер. ...Но кто этот человек, который выйдет с книгами к памятнику Довлатову, неужели я?

А вот другая идея — «Менка»: кто-то приносит прочитанную книгу (книга должна быть издана в этом году или в прошлом) и меняет ее на две мои. За две старые я получаю одну новую, по-моему, это очень выгодно: все любят меняться, и я смогу постоянно расширять ассортимент.

Как мне самой не пришло это в голову?! У меня много книг, которые мне не нужны. Я была бы счастлива, если бы мне разрешили в обмен на ненужную мне книгу порыться в собраниях сочинений и выбрать любимое. Часто бывает, что полное собрание сочинений не нужно, а нужен один том или два. К примеру, я могу обойтись без полного собрания Голсуорси при условии, что у меня есть «Сага о Форсайтах», а мне разрешили взять из полного собрания «Конец главы». Из собрания Шолом-Алейхема я бы взяла том «Блуждающие звезды», из собрания Пруса «Куклу», из собрания Жорж Санд «Консуэло»...

Татьяна Николаевна сбегала домой за книгой для «менки», и мы поменялись: она мне «Маленькую жизнь» Янагихары, а я ей «Домби и сын» и «Черную стрелу». «Черную стрелу» взяла для соседского мальчика. Диккенса мне жалко, Стивенсона тоже жалко, хотя и то и другое у меня есть в запасе.

Мы договорились: как только маньяк чтения прочитает новинки из «Республики», сразу же приходит меняться. Мы будем часто видеться: маньяк читает, как метеор.

Маратик не одобрил проект «Менка».

Мне нечего возразить: мы должны продавать книги. Продавать, а не меняться. В книжных магазинах не разрешено принести прочитанную книгу и в обмен взять новую. Так можно черт знает до чего дойти. В книжном магазине не меняются, а покупают. Проект «Менка» прекрасен, но с точки зрения бизнеса от всего должна быть прибыль. Какая прибыль от обмена двух своих книг на одну чужую?

...Пока мы обсуждали проект «Менка», пришла девушка, знакомая Татьяны Николаевны, — меняться. Принесла «Щегла». В качестве бонуса всучила мне две книги со словами «пригодится»: «Код да Винчи» и «Пятьдесят оттенков серого». ...Ну, не совсем в качестве бонуса, за чашку кофе. На окне висит объявление «Вход в маске и перчатках», у нее не было маски, только перчатки, поэтому я сварила кофе и вынесла чашки на улицу. Мы пили кофе под окном лавки и обсуждали «Пятьдесят оттенков серого». Ей кажется, что в книге описан очень примитивный секс. Я сказала: «Да?.. Да. Очень примитивный». Чувствовала себя ужасно: секс, описанный в этой книге, вовсе не кажется мне примитивным.

Интересно, эта девушка на самом деле такая продвинутая или она тоже врала, как я?

Теперь у меня, как в любом приличном книжном магазине, есть «Маленькая жизнь» и «Щегол». Но не как «лидеры продаж», а просто на полке, как книги. У меня есть и другие бестселлеры, как в любом приличном книжном магазине. У меня есть «Зулейха открывает глаза», «Авиатор», «Петровы в гриппе», но все они стоят в разных местах, как книги, а не как «лидеры продаж».

Я немного расстроена: за «Щегла» пришлось отдать «Незнайку» и «Карлсона», обе книги изданы в конце восьмидесятых. Теперь я полностью согласна с Маратиком: проект «Менка» нужно закрыть. Но не из-за того, что проект неприбыльный.

Думаю, вопрос прибыли — не тот вопрос, который следует рассматривать в этом бизнесе. Вопрос, который действительно стоит в этом бизнесе, — это вопрос жадности: если выбирают что-то хорошее, то жалко меняться.

...Не звонили, не звонили, не звонили!

## ЧЕРНЫЙ ДОСТОЕВСКИЙ

**Цитата дня:**

Два дня после странного приключения на вечере у Настасьи Филипповны, которым мы закончили первую часть нашего рассказа, князь Мышкин поспешил выехать в Москву по делу о получении своего неожиданного наследства.

*«Идиот»*

Ничего не происходит, из клиники не звонят. Пришла эсэмэска от отца: «Надеюсь, ты не думаешь, что коронавирус как грипп? Контагиозность гриппа в пять раз ниже, грипп не приводит в половине случаев к пневмонии и фиброзу легких, не требует ИВЛ, смертность от гриппа в пять раз ниже, чем от коронавируса». Как будто я спорю.

У нас новые книги и непокупатель в розовом кресле.

Ирина, директор завода по производству косметики, серьезная и строгая. Живет в угловом подъезде, ее синяя «Ауди» всегда стоит на тротуаре слева от ворот. Ирина приходит к нам поспать. Приходила несколько раз, садилась в кресло с книгой и засыпала. Странно и немного неприлично, разве дома нельзя поспать?

Сегодня Ирина, невозможно поверить, пришла не поспать, а помочь разобрать книги. В коммуналке на Рубинштейна, 32 умерла одинокая бабушка (не от коронавируса!), внучка принесла ее книги мне: от Рубинштейна, 32 я ближе, чем помойка.

Ирина увидела в окно, что я разбираю книги, и пришла помочь. Разбирать книги — лучшее занятие на свете, и я не хотела делиться им с Ириной. Мне нравится трогать книги, гладить, нюхать, подчитывать.

Я разбирала книги, Ирина рассказывала. Почему она решила рассказать чужому человеку? Наверное, потому что я ни о чем ее не спрашивала и даже не кивала, сидела на полу и разбирала книги.

Ирина не переносит громкие звуки, когда играет громкая музыка, не чувствует себя человеком. Ее муж весь день включает музыку на полную громкость. У мужа очень интеллигентная мама, она не хотела Ирину, потому что Ирина из провинции, но Ирина старается, чтобы ее полюбили. Давно старается, десять лет. Свекровь говорит: если сын любит громкую музыку, значит, он должен слушать громкую музыку. В обычной жизни, до вируса, Ирина возвращалась с работы как можно позже, но сейчас завод закрыт, и ей некуда деваться. Она приходит к нам посидеть в тишине и почувствовать себя человеком. По-моему, ее муж и свекровь — настоящие абьюзеры, а Ирина — жертва абьюза.

Ирина сказала: «Дай почитать что-нибудь легкое... не могу сейчас читать ничего серьезного». Ирина стесняется, что сейчас не хочет читать серьезную литературу. Дело в том, что она не сейчас не хочет, а вообще не хочет читать серьезную литературу. Но что в этом стыдного? Ей нужна книга-подруга. Она прочитает эту книгу и почувствует, что поговорила с подругой.

Предложила на выбор книжку из серии «Шопоголик» Софи Кинселлы и «Мы с королевой» Сью Таусенд. Все книги Сью Таусенд умные и ироничные, но думаю, именно эта ее книга поддержит Ирину. В Британии сменилась власть, и королеву Елизавету с семьей переселили в жуткий домишко в плохом районе, без слуг и денег. Королеве пришлось разрезать ценные ковры, чтобы они влезли в десятиметровые комнаты, и самой раздвигать шторы в спальне, варить суп из консервов и пользоваться социальной медициной, а зуб ей вообще удалила соседка. Это очень мягко утешительная книга о том, что человек может сохранить достоинство в самой ужасной ситуации.

Дала Ирине с собой «Мольера» Булгакова, чтобы она не очень унывала, бывают семейные проблемы и похуже, чем у нее: Мольер женился на актрисе на двадцать лет младше, страдал из-за ее непонимания и измен. Ее звали Аманда.

**Цитата дня:**

— Меня шестьдесят пять лет Татьяной Марковной зовут. Ну, что — «как»? И поделом тебе! Что ты лаешься на всех: напал, в самом деле, в чужом доме на женщину — хозяин остановил тебя — не по-дворянски поступаешь!..

*«Обрыв»*

Проблема в том, что сейчас все на виду. В обычной жизни каждый был сам по себе, никто ни о ком ничего не знал, а сейчас, в изоляции, вдруг появились «все». Все дома, и все смотрят в окна.

Сначала все увидели, как в подъезд напротив вошла нарядно одетая дама. Все понимали, куда она идет, — на второй этаж. Там живет девушка — мастер маникюра, обычно работает в салоне, но сейчас салоны закрыты. Весь дом ходит к ней делать маникюр.

Через час все увидели, как нарядно одетая дама вышла из подъезда. Ее маникюр не был виден с такого расстояния, но всем было ясно, что она сделала маникюр.

Через десять минут все увидели, как дама входит в подъезд с участковым. Привела участкового оштрафовать мастера за то, что мастер маникюра подпольно делает маникюр, и та вернула ей деньги.

Проблема в том, что, совершив донос, дама перешла двор и постучалась в лавку. Сказала, что раз уж она в доме Довлатова, то нужно купить книгу Довлатова. В принципе, это то, о чем говорил Маратик: у нас очень выгодное расположение.

«Нет. Я не продам вам книгу Довлатова. Довлатов сказал: „Мы проклинаем Сталина, и, разумеется, за дело. И все же я хочу спросить — кто написал четыре миллиона доносов?“ Вы недостойны иметь книгу Довлатова. Вы можете купить ее в любом другом месте, но я вам ее не продам», — сказала я.

Мысленно. Я мысленно сказала. Я не умею вслух выражать осуждение или клеймить позором.

Продала даме «Заповедник» как миленькая.

И весь день думаю: правильно, что не сказала, или неправильно? С одной стороны, моральный облик дамы не мое дело, я всего лишь продавец в лавке. С другой стороны, я ведь продаю книги.

...Уже ясно, что я не подошла. Я ждала звонка из клиники с сумасшедшей мыслью: мой генетический близнец — Маратик, для него меня проверяют на полное соответствие. Конечно, было бы здорово спасти жизнь другому, любому человеку, но сумасшедшая мысль была — вдруг это Маратик. Но я не подошла никому. Ждать больше не стоит.

**Цитата дня:**

*Леди Уиндермир.* Лорд Дарлингтон, вы вчера вели себя очень плохо на приеме в министерстве иностранных дел. Вижу, вы намерены продолжать в том же духе.

*«Веер леди Уиндемир»*

— Мы не будем придавать этому значения, — сказала я.

По-моему, это честно, если не хочешь придавать этому значения. И вежливо, если Саня тоже не хочет придавать этому значения.

— Это просто... — Я задумалась, как назвать секс с Саней: дружеский секс, случайный секс, привычный секс, прощальный секс, приветственный секс, секс в память прошлых отношений... — ...Это просто секс.

— А если я хочу придавать этому значение? — сказал Саня. — Почему дружеский?

А какой? Как назвать секс с Саней?

Дружеский секс? Но я не хочу, чтобы он не был влюблен. Случайный секс — да, в том смысле, что мы этого не планировали. Привычный секс? Мы встречались недостаточно долго для того, чтобы выработался условный рефлекс, но достаточно для того, чтобы не воспринимать друг друга как нового партнера и нервничать.

— Это приветственный секс. Это же смешно, пусть будет приветственный секс. Приветствую тебя в городе на Неве!

Саня укоризненно поморщился, как будто сказал мне «не пытайся быть циничной, ты не такая». А может, я как раз такая?!

Мы с Саней ни разу не оставались наедине. Мы все время были втроем. Я не знала, что если останусь с ним наедине, то мгновенно включатся старые механизмы, словно щелкнули выключателем: я буду говорить, смеяться, шутить, а он молча смотреть.

Когда Саня после защиты диплома подошел ко мне в университетском дворе и сказал «привет, рассказать анекдот?», я сдавленно пискнула «давай», хотя мне не нравилось, когда начинают с анекдота, как будто нет своих слов. Саня рассказывал анекдоты, чтобы развеселить меня, как будто мне нравятся анекдоты. Я стеснялась не смеяться, боялась показаться тупой, он ведь был лучший, номер один. Мы учились вместе, иногда встречались в коридорах, и однажды я встретила его в библиотеке... Но он не обращал на меня внимания, а после защиты диплома обратил. Долго мне пришлось ждать, четыре года.

Ты думаешь, что он номер один, и вдруг ты хуже всех, кто у него был, но оказывается, что он сам ужасно стесняется, хочет тебе понравиться, не уверен, что нравится. Это как внезапный подарок, как будто идешь по лесу — и вдруг ландыши.

Я стеснялась, он стеснялся, но люди же не могут оба стесняться, — и я первая перестала стесняться. Как только догадалась, что он, такой красивый, тоже стесняется, а я вовсе не сдаю экзамен на годность, мне стало хорошо и спокойно. И я начала болтать, сначала осторожно.

Саня слушает молча, с таким отрешенным выражением лица. Как будто пытается тебя понять, вслушивается и всматривается... как будто старается хорошо понять. А потом вдруг ловишь его взгляд и чувствуешь, что он смотрит восхищенно. И тогда — щелк, — понимаешь, что с этого момента можешь делать, что хочешь, болтать, смеяться, не задумываться, о чем говоришь. Я ему нравлюсь, он влюблен.

Ну, вот так все это и было: я болтала, а Саня внимательно слушал.

СН как-то сказал мне, что мы любим не человека, а такого себя, каким ощущаем себя рядом с ним, — это известная фраза, но ее можно использовать как прием для описания отношений: вот у тебя Маша любит Петю, и что? Как придумать их любовь? Прежде всего задай вопрос: какой Маша видит себя рядом с Петей? Маша любит Петю за то, что при нем чувствует себя сильной, — это один вариант развития отношений, слабой — другой. Красивой — один, некрасивой — другой, умной — один, глупой — другой.

Я рассматривала этот прием на примерах — работает! Почему Скарлетт не любит Ретта? Не любит себя такой, какой он ее видит: беспощадной, циничной, алчной. Она любит себя доброй, нежной, самоотверженной, поэтому любит Эшли. Мне он, кстати, не нравится.

С Саней — я говорила, он слушал — я чувствовала себя умной, обаятельной, остроумной и, главное, очень-очень ценной: человек, которого так слушают, имеет огромную ценность!.. Саня рядом со мной видел себя неумным и незначительным, вот и бросил меня... А СН, каким СН хотел быть рядом со мной? Сильным, умным, учителем? Но ведь он и так таким был! Значит, я ничего ему не могла дать...

К чему я все это?.. К тому, что был секс.

Сначала мы поссорились.

— ...Он опять играет, — озабоченно сказал Саня. — И вечно он с этой своей флягой... пьет с утра!

— Он только к вечеру проснулся.

— Значит, у него вечером утро, и он с утра пьет... Тебе нужно отнять у него фляжку.

Сказала, что не буду переходить границы, внедряться в личное пространство и заставлять Маратика не пить, не есть чипсы, не дышать. Не сказала Сане, что во фляжке кола. Если Маратик не говорит, значит, хочет быть в его глазах алкоголиком.

— Давай я с ним поговорю? Ты будешь молчать, как будто тебя нет. А мы с ним сядем за стол переговоров. — Саня сел в розовое кресло, как бы обозначив, как сядет за стол переговоров.

Это плохая идея: Маратик с Саней не смогут разговаривать без меня. Маратик будет кривляться, а Саня будет молчать.

— У нас с Маратиком не любовь, а дружба, понимаешь? Саня неуверенно кивнул.

— А может, отправить его к психотерапевту, который лечит алкоголизм? Ну, хотя бы пригрозить?

— Нет. Дружить — это не мешать друг другу жить. Друг не требует соответствовать его картине мира. Друг не будет отнимать фляжку, если решил, что его друг не должен пить. Друг не будет заставлять жить так, как хочет он. Не будет говорить «я лучше знаю, что тебе надо». Если Маратик сам захочет не пить — тогда да, а так нет. ...У нас с Маратиком были уникальные отношения. А потом появился ты, и... не лезь к нам! Кивни, если понял.

Саня смотрел на меня молча, не кивая и не подавая никаких других знаков.

— Друг не допрашивает тебя, что ты чувствуешь, — наконец сказал он. — Не говорит «ты должен чувствовать то-то и то-то». Не говорит «расскажи, как ты меня любишь». Не повторяет «любовь» через каждое слово. Меня уже просто трясло от слова «любовь»!

— Ой, какой стыд! Мне стыдно. Но мне было всего двадцать лет, ну хорошо, двадцать два. И мы не были друзьями, у нас была любовь, — резонно возразила я. — Ой, прости, я не хотела говорить «любовь», случайно вырвалось...

— У тебя было много мужчин после меня? — спросил Саня. Саня и правда лучше всех. Неужели даже самые лучшие спрашивают «у тебя было много мужчин после меня»?..

— У меня было... много вопросов. Я задавала себе вопросы. Если он погладил меня по лицу, значит ли это, что он меня любит? Надо всем ли можно смеяться? Это и есть мой герой? Зачем во время секса спрашивать, все ли хорошо, не нужно ли мне чего-нибудь, как будто я клиент в ресторане? Можно ли считать его настоящим мужчиной, если он боится кота моей подруги? Вот мои мужчины... Когда перечислишь всех по порядку, хочется спросить: «Господи, и это мои мужчины?..» ...Саня? Это шутка, я шучу. Не было у меня никаких «моих мужчин», никого у меня не было после тебя, кроме одного человека.

Саня смотрел на меня этим своим взглядом, как будто я самый важный для него человек и от моих слов зависит его жизнь, и я привычно начала болтать:

— Я согласна с тобой, что от слова «любовь» просто трясет. Смотри: Анна Каренина бросилась под поезд, Катюша Маслова оказалась на каторге, Бедная Лиза утопилась, Нина Заречная сошла с ума, Ларису застрелили. А в современной литературе? Сначала борьба двух неврозов, а потом ад. Или сразу ад. Почитаешь, к примеру, Бегбедера и думаешь: а-а, да, любовь живет три года, лучше даже не начинать... Может, мне лучше прожить одинокой сто четыре года? Или пойти на Тиндер? Говорят, там случаются удивительные вещи: человек, с которым ты уже построила планы иметь троих детей, оказывается освоившей интернет бабушкой из соседнего подъезда.

И тут все случилось. Случился секс.

С литературной точки зрения это правильно. Вся классика построена на девичьей ошибке: героиня не сразу понимает, кто хороший, и некоторое время влюблена в плохого. У Джейн Остен повсюду метания между плохим и хорошим героем: Эмма, прежде чем понять, что любит замечательного мистера Найтли, влюбляется в пустышку Фрэнка Черчилля. Марианна из «Чувства и чувствительности» влюблена в подлого Уиллоби и, только пережив предательство и горячку, находит свое счастье с благородным полковником Брэндоном. И даже ироничная Элизабет сначала была очарована развратным Уикемом, а уж потом полюбила мистера Дарси.

Вот и у нас с Саней симметричная история: сначала я пренебрегла простым хорошим парнем, влюбилась в сложного невротичного писателя, затем разочаровалась в писателе и вернулась к своей настоящей любви. В финале свадьба, Саня лучше всех.

Но ведь это правда: с Саней я чувствую себя интересной, значительной, достойной любви. С СН в точности наоборот: неинтересной, незначительной, недостойной любви. Для СН я «лишний контакт», второстепенный персонаж.

Секс с Саней прекрасен. Секс с СН каждый раз приводил меня в недоумение: как будто у него был секс со своим желанием секса, а не со мной. Я участвовала в процессе в определенной роли, а потом занавес закрылся, актеры пошли домой. Я каждый раз думала: может, это и есть взрослый секс?

Было так радостно и счастливо, как никогда не было. За полгода, что мы не виделись, я стала на полгода старше. Женская сексуальность увеличивается с возрастом, а, если верить Маратику, в моем случае полгода — это очень много. Я имею в виду, что полгода назад я еще не так ярко чувствовала. Секс с Саней прекрасен.

...Загадала: если я больше не буду спать с Саней, мне позвонят.

# ЗЕЛЕНЫЙ ЧЕХОВ

**Цитата дня:**

И потом он встречал ее в городском саду и на сквере по нескольку раз в день. Она гуляла одна, все в том же берете, с белым шпицем; никто не знал, кто она, и называли ее просто так: дама с собачкой.

*«Дама с собачкой»*

— Мы тоже не лыком шиты... Некоторые валерьянку по бабкам разносят, но мы тоже делаем кое-что хорошее для людей, — проворчал Маратик и, хихикнув, пошел вешать на окно объявление: «Книжный клуб для тех, кто мало читает. Приятная изоляция среди книг обеспечена. Вход бесплатный, только в масках». Маратик играет в игру, как фантаст, создает вымышленный мир. Объявление провисело на окне игрушечной книжной лавки «Чемодан» три дня.

Название книжного клуба придумала я. При словах «книжный клуб» многие пугаются, вспоминают, как в детстве им ставили в пример какую-нибудь Лидочку: «Лидочка много читает». Думают: «Ну, нет, это для Лидочки, не для меня». Поэтому «Книжный клуб для тех, кто мало читает».

Мы с Маратиком играем, создаем вымышленный мир, но вымышленный мир потихоньку становится реальным: что, если люди придут и сядут?.. Пятеро в масках. У меня дома, в игрушечной книжной лавке «Чемодан», сядут, соблюдая социальную дистанцию, и будут ждать, что будет. Соскучились по чему-то, что отличается от вируса. У каждого члена книжного клуба должна быть бутылочка: в объявлении была приписка «Условие посещения: иметь при себе санитайзер». Двадцать шесть человек постучались в окно, сказали «о-о, это для тех, кто мало читает, как раз для меня!» и обещали быть.

Я переодевалась три раза. Если считать, что джинсы с черным свитером надевала и снимала пять раз, то я переодевалась восемь раз. Джинсы № 1 и черный свитер № 1 (безыдейно и отстраненно), джинсы № 2 и черный свитер № 2, шелковое платье (слишком нарядно), розовое бархатное платье (как дура вообще), джинсы № 1 и черный свитер № 2 с шарфом, розовое платье и черный свитер № 1 (слишком красиво).

Надела джинсы № 1 и черный свитер № 2 без шарфа. Так волновалась, что живот стал каменным. Я говорила себе — ну, в конце концов, это не экзамен, не важное мероприятие, да и кто ко мне придет — соседи, уставшие от сидения дома?

Я же не полная идиотка! Как неполная идиотка я понимала, что могут быть проблемы: в книжном клубе обсуждают выбранную заранее книгу, которую все прочитали. А о чем будем говорить мы, если выбранной заранее книги нет?

С такой аудиторией сложно, но у меня есть секретный план: начну с того, что все читали. Мой план — «Анна Каренина». Уходить ли от мужа, любовь или долг, сколько живет страсть, как быть с детьми — про все это каждому есть что сказать. Обсуждение «Анны Карениной» будет похоже на посиделки на дворовой лавочке: как будто Анна Каренина живет в нашем дворе. Кто-то скажет: «Напрасно Долли простила измену, чтобы не нарушать своих семейных привычек. После измены жизнь как разбитая чашка, все равно не склеить...» А кто-то скажет: «Вронский еще мальчишка, ничего особенного собой не представляет. Лучше бы она влюбилась в кого-нибудь постарше, он бы помог ей с разводом». И кто-то скажет: «Кити говорит, что всегда любила Левина, но если бы Вронский не отверг ее, она вышла бы замуж за Вронского, вот и вся любовь!» С этим я согласна.

...19:00. Я выгляжу нормально, лавка «Чемодан» выглядит очень привлекательно. К стеллажам прикреплены плакатики (сделала ночью): на первом от входа стеллаже «Возьми книгу в руки, погладь ее, представь, о чем она», на втором — «Здесь тоже очень интересные книги!»... На последнем стеллаже у окна — «У тебя есть время выбрать еще одну». На столике коробка с детективами, все детективы старые, давно изданные, но, может быть, кто-то найдет для себя что-то интересное, тем более на коробке написано «Бесплатно».

На стенах фотографии покупателей. Я фотографировала на айфон покупателей с купленными книгами в руках и спрашивала разрешение повесить. Разрешили все: каждому приятней увидеть в книжной лавке свой портрет, чем портреты писателей, как в библиотеке или в школьном классе. Саня распечатал фотографии с айфона в автомате на углу Невского и Рубинштейна и развесил по стенам.

На старой тумбочке справа от входа стопка новинок от маньяка Татьяны Николаевны, среди них Селеста Инг «Все, чего я не сказала» (эту книгу нужно прочитать всем родителям, которые достают детей своими амбициями, чтобы они как следует испугались), Энн Пэтчетт «Бельканто» (у нас ее книги попали в жанр «любовный детектив», а в Америке она считается классиком), Лиана Мориарти «Тайна моего мужа» (по ее книге «Большая маленькая ложь» сняли хороший сериал, лучше, чем книга).

На другой старой тумбочке слева от входа стопка книг «Только сегодня все по 20 руб.». Это волнующе, как лотерея:

в стопке за 20 руб. всегда можно найти что-то хорошее. Сегодня там «Государь» Макиавелли. «Государь» Макиавелли — хорошее. Интересно, Макиавелли относится к тем книгам, которые обязательно должны быть в продаже? Как «Невыносимая легкость бытия», «Эмма», «Убить пересмешника», «Миссис Дэллоуэй», «Над пропастью во ржи»? Если да, то у меня есть.

В 19:00 я поняла, что затея с книжным клубом провалилась. А в 19:08 начался непередаваемый словами кошмар: пришли люди.

Пришли четверо. Это обычная практика на таких мероприятиях: сначала человек радуется «о-о, классно, приду», но, когда настало время выйти из дома, думает «ну нафиг, лучше помою пол с хлоркой или полежу на диване». Четыре человека — это успех, это очень большой успех: мы можем принять максимум пять человек, сейчас больше пяти собираться не разрешено. Все из нашего дома и окрестных домов: в лавку ходят только свои, и в книжный клуб пришли свои — с Рубинштейна, Загородного, Фонтанки.

Но все эти люди были с детьми! Четыре человека с детьми разного возраста: восьми лет, десяти, двенадцати и семи. Родители привели детей, усадили у камина и сказали: «Ну, когда забирать, часа через два—три?» По-человечески я их понимаю: они уже обалдели от того, что эти дети, восьми, десяти, двенадцати и семи лет, все время дома. И были рады пристроить их на культурное мероприятие.

А я хотела сделать вид, что меня срочно куда-то вызвали, и убежать. Я боюсь публичных выступлений: мне страшно быть в центре, лучше быть в дальнем углу и оттуда наблюдать. Мама говорила мне, когда брала меня с собой в гости: «Не молчи, открой рот и скажи "спасибо" или "все очень вкусно"», и на улице заставляла меня подходить к прохожим и спрашивать: «Скажите, пожалуйста, который час».

У меня есть маленький опыт преподавания: я иногда помогаю вести семинары по переводу. Это тоже трудно, я себя заставляю и тренирую. Но на семинар студенты приходят сдать перевод, который им задан, а не показывать язык и ныть «а что здесь будет?..»

Все дети противные, не люблю детей! У ребенка десяти лет в телефоне установлено приложение, которое каждые пятнадцать минут чтения пишет: «Поздравляем, вы прочитали свою дневную норму». ...Как только все уйдут, я сразу же начну читать «Анну Каренину», сначала прочитаю сцену, когда Анна с Вронским приезжают в Петербург и Анна собирается в театр.

Родители немного пообсуждали между собой вирус, лекарства, аппараты ИВЛ и ушли. Надеюсь, родители услышали мой крик «забирать через час!», они очень быстро уходили. Из взрослых в лавке осталась только я.

— Давайте начнем? Спасибо, что пришли. Книги — это вся наша жизнь, это наша цивилизация. А сейчас я вам почитаю.

Полтора часа (проклятые родители, конечно, опоздали) читала детям «Орден Желтого Дятла», это одна из моих самых любимых детских книг. Сначала я читала за всех, но потом подумала — почему я должна читать за всех, и читала только за автора, Носишку, Педриньо и куклу, а за кота Феликса, доктора Улитку, Принца Серебряная Рыбка и остальных читали противные дети. Мы все хохотали, особенно в том месте, где доктор Улитка учит куклу Эмилию разговаривать, и она называет его то доктор Утка, то доктор

Утятка. На этом месте я не могла читать от хохота, и за автора пришлось читать всем по очереди.

Родители сказали, что я делаю очень важное и нужное дело. Еще бы, ведь они не видели противных детей целых полтора часа.

Все ушли, и только я собралась почитать «Анну Каренину», пришла одна дополнительная старушенция. Книжный клуб уже закончился, но не просить же старушенцию уйти.

Старушенция застенчиво сказала, что хочет поговорить со мной наедине: не могу ли я купить у нее письмо Довлатова. Она хранила письмо все эти годы как напоминание о юности, но сейчас так трудно материально, что она могла бы продать. А я могла бы купить, раз уж у меня книжная лавка в Довлатовском доме.

Я замерла — настоящее, а не написанное Маратиком письмо Довлатова! Настоящая подруга Довлатова, а не левый жуликоватый дед!

Представила, как выглядит письмо Довлатова в рамке на стене. Или на столике у камина. Или в отдельном шкафчике за стеклянной дверцей. Письмо придаст всему совершенно другой смысл, это будет уже не кустарная лавка, отделенная туалетиком от спальни. Это будет арт-проект в Довлатовском доме. Лавка станет достопримечательностью улицы Рубинштейна, точкой на карте литературного мира.

Конечно, я куплю письмо, если смогу за него заплатить. Нечестно покупать письмо дешево, но я не смогу много заплатить. Я могу купить за разумную цену.

Все зависит от того, что считать разумной ценой. Сколько стоит письмо Довлатова, пять тысяч или сто?..

— Мне нужно полторы тысячи, — сказала старушенция.

Купила письмо. Это было не письмо, а открытка. Открытка семидесятых годов с розой, сверху золотом «8 Марта». На другой стороне открытки текст: «Дорогая Шура, с 8-м марта! Желаю здоровья, счастья и успехов в работе. Сережа и Сеня». Наверное, писал Сережа, а потом спохватился и приписал Сеню. Любопытно узнать, кем Сережа и Сеня приходятся друг другу — отец и сын, братья? — но не хотелось обижать старушенцию. Пусть думает, что я купила письмо Довлатова, а не просто дала ей деньги.

Помыла пол хлоркой. Ручки протерла. Сняла маску. Маска у меня многоразовая, с высокой степенью защиты. Мы с Маратиком давно уже заказали в «Озоне» две маски с высокой степенью защиты, но доставили только вчера.

**Цитата дня:**

Деда, любившего жить пышно, это очень обрадовало, но бабушка, к удивлению многих, приняла новое богатство, как Поликрат свой возвращенный морем перстень. Она как бы испугалась этого *счастья* и прямо сказала, что это одним людям сверх меры. Она имела предчувствие, что за слепым счастием пойдут беды.

*«Захудалый род»*

Пришла парочка в шлемах: брат и сестра, студенты первого курса ИТМО. ИТМО совсем рядом с нами, на улице Ломоносова. Они сейчас учатся дистанционно, но вчера утром им что-то понадобились в университете. Припарковали мотоцикл у памятника Довлатову, зашли во двор полюбоваться красотой и посмотреть, что там, а там я. То есть лавка «Чемодан». Увидели объявление «Книжный клуб» и вот, приехали.

Но немного ошиблись днем: «Книжный клуб» был вчера в 19:00, а они пришли сегодня в 16:00. Сказали «как жаль». А мне вот нисколько не жаль. Что бы они вчера делали на книжном клубе с противными детьми, читали за сеньориту Сардинку и графа де Кукурузо?

— А что вчера было, что обсуждали? — спросила сестра.

— А... А Барнса. Обсуждали Барнса. Макьюэна обсуждали, Исигуро. — Ни за что не признаюсь, что читала вслух «Орден Желтого Дятла».

— Мы тоже хотели бы обсудить Барнса, — завистливо сказал брат, и сестра кивнула.

Предложила им обсудить Барнса прямо сейчас. Барнс — мой любимый писатель, к тому же мне нечасто удается встретить людей моего возраста, которые любят Барнса, как я. Людей не моего возраста, которые любят Барнса, как я, мне тоже нечасто удается встретить. Я люблю его так, будто он сидит в моей голове и из нее пишет.

Мы обсудили «Как все было» и «Любовь и так далее» про любовный треугольник, и «Одну историю», где описано, что происходит в душе влюбленного (ему девятнадцать, ей сорок восемь, она превратилась в алкоголичку и испортила ему жизнь... но что было бы, если бы не превратилась?..).

— Давайте обсудим «Нечего бояться», — предложил брат, — это моя любимая книга.

— Моя тоже, — сказала девочка.

И моя тоже. Это книга про отношение к смерти. Барнс сам так боится смерти, что читать ее все равно что держаться за его руку...

Мы поговорили о книге, и я спросила, почему их интересует такая тема. Про смерть.

— А мы не знали, что есть смерть, — объяснила сестра.

— Нам об этом никто не говорил, — подтвердил брат.

Они сказали, что раньше не знали, что есть смерть. Про это никогда никто не говорил. А сейчас весь Фейсбук заполнен постами их друзей про болезни бабушек, дедушек и родителей, до этого они не думали, что можно умереть, а если у кого-то умирали близкие, им казалось, что это из ряда вон. Я сказала, что думаю о том же: что раньше будто не было смерти, а сейчас она везде.

— Я очень скучаю по бабуле, неизвестно теперь, когда я ее увижу... — сказал брат.

— Я тоже скучаю по бабуле, но я держусь, а он нюня... — сказала сестра, при этом сочувственно погладила его по голове, то есть по шлему. Все это время они были в шлемах. В шлемах и масках — жуткое зрелище.

...Я подумала, что их бабушка где-то за границей, в Италии, как моя мама, или застряла в Таиланде. Оказалось, их бабушка на Владимирском проспекте, дом 7, в пяти минутах от лавки «Чемодан». Но когда брат с сестрой увидятся с бабушкой — неизвестно: никто не знает, сколько времени они будут представлять опасность для своей бабушки, — месяц, полгода, год? Никто не знает.

И тут мне позвонили.

Звонят, когда уже ничего не ждешь. Вернее, ждешь, но делаешь перед собой вид, что не ждешь. Если хорошо притворяешься, что уже не ждешь, то позвонят.

Сказали, что совпадение подтвердилось, мне нужно прийти в клинику, чтобы пройти осмотр и назначить дату операции.

**Цитата дня:**

Княгиня Щербацкая находила, что сделать свадьбу до поста, до которого оставалось пять недель, было невозможно, так как половина приданого не могла поспеть к этому времени.

*«Анна Каренина»*

**Еще одна цитата дня:**

Но когда Степан Аркадьич начал говорить о причинах болезни Кити и упомянул имя Вронского, Левин перебил его:
— Я не имею никакого права знать семейные подробности, по правде сказать, и никакого интереса.

*«Анна Каренина»*

Я сделала то, что в принципе делать запрещено: ткнула пальцем еще на одну страницу. По-прежнему непонятно.

Вызвала такси, чтобы ехать в клинику. На мне респиратор, сверху намотан шарф. Две пары перчаток, снизу шерстяные, сверху резиновые. Ждала такси у памятника Довлатову. Загадала: если придет белая машина, то моим генетическим близнецом окажется Маратик. Белых машин много, так что это не совсем честное гадание, но все-таки.

Врач начала очень официально: «Я должна убедиться, что вы в добровольном порядке даете согласие выступить дарителем собственной кроветворной ткани. Учитывая, что это решение является очень серьезным, необходимо подойти к этому весьма ответственно».

Я сказала, что подхожу ответственно, и все подписала.

Врач сказала, что меня рассматривали как альтернативного донора из российского регистра, который может заместить иностранного донора. Сейчас, когда границы закрыты, все ситуации решаются врачами в ручном режиме, то есть на усмотрение врачей.

Я поняла: сначала нашли иностранного донора, потом меня. Я подхожу меньше, но я здесь. Видимо, это срочная ситуация, пусть донор похуже, зато быстро.

Врач еще раз объяснила, как все это будет: мы назначим день операции, я сдам кровь и пойду домой. Это уже итоговая сдача. Затем начнется подготовка к операции. Я должна сохранять здоровье (она так и сказала «вы должны сохранять здоровье, никаких инфекций»). Но я всё еще могу передумать и отказаться. За десять дней до пересадки пациенту делают высокодозную химиотерапию, то есть убивают его костный мозг сильной химией. Химия полностью уничтожает его кроветворную и иммунную системы. Отказ в последнюю минуту означает смерть человека, ожидающего пересадки костного мозга: если я откажусь, пациент умрет.

— А если со мной что-то случится? Если я заболею? Я тогда... убью его?

— Не волнуйтесь, ничего с вами не случится, не надо так нервничать.

Ничего себе, не надо нервничать!.. Мы с моим генетическим близнецом будем жестко связаны, как будто исполняем смертельный номер: я держу канат, если упаду, то и он упадет... Ой, нет, не так! В том-то и дело, что совсем не так! Мы с ним не в равном положении. Если я поскользнусь, он разобьется насмерть, а я нет, я встану и уйду. Со мной ничего не случится, а он умрет

— Не думайте об этом, — сказала врач.

Откуда она знает, о чем я думаю? Откуда-то знает. Наверное, все об этом думают, и кто-то поделился с ней своими страхами.

Врач посмотрела свое расписание, чтобы вписать меня. У нее блокнот, обычный блокнот, ежедневник. Она сказала: «График полностью сформирован, нужно найти окошко». Смотрела и говорила: «Здесь занято... здесь тоже... а-а, вот тут окошко».

Она так буднично ищет «окошко», как будто записывает на чистку зубов. А ведь это окошко для спасения человека, этот ее блокнот, ежедневник, — как Дневник бога. Какое огромное дело сейчас происходит — она ищет окошко спасти чью-то жизнь. Получится или нет, никто не знает. Я только сейчас до конца поняла, что трансплантация костного мозга — невероятная операция; вообще нереально, что люди научились пересадить одному человеку костный мозг другого человека. ...Операция будет через три недели и два дня.

Мне нужно было выбрать способ донорства. У меня могут взять кровь из вены или из тазовой кости, под наркозом. Из тазовой кости под общим наркозом, которого я жутко боюсь.

Врач опять перешла на официальный язык (наверное, так положено): «Процедура донорства и взятия кроветворной ткани является для донора достаточно сложной и болезненной. При введении анестезии посредством предназначенных для этого игл вам сделают пункцию костной жидкости в области подвздошных костей. За два часа получают около одного литра костного мозга. После окончания процедуры в месте, где берется костная ткань, некоторое время будет сохраняться болезненность». О господи, почему тазовая кость так страшно называется «в области подвздошных костей»?.. Я выбрала способ донорства из подвздошной кости, а не из крови: так больше вероятность, что у пациента, моего генетического близнеца, все пройдет хорошо.

Я полезла в сумку за салфеткой, и (наверное, я все-таки волновалась), пока рылась в сумке, оттуда выпал целый ворох резиновых перчаток. Пар пять или шесть. Я собиралась выбросить верхние перчатки, после того как выйду из клиники, надеть другие, ехать в них в такси... У меня для каждого отрезка пути свои перчатки.

Врач посмотрела на меня, как будто хотела спросить «вы псих?», и я заторопилась:

— Я должна быть очень осторожна, мне же нельзя заразиться!

Врач посмотрела на меня печально, как будто хотела сказать: «Вы псих, я не разрешаю вам сдавать костный мозг».

— Вам обязательно нужно гулять. Парки сейчас закрыты, гуляйте вокруг дома.

— Я буду гулять ночью по Фонтанке, чтобы не заразиться.

— Вы ничем не заразитесь на прогулке... Постарайтесь быть аккуратной, берегите горло, не простудитесь. В магазине и аптеке будьте в маске, соблюдайте социальную дистанцию, и все будет хорошо... — сказала врач.

Это прозвучало недовольно, как будто по обязанности: наверное, человеку, ежедневник которого расписан на спасение жизней, вирус не кажется таким страшным, как обычным людям. ...Перед операцией нужно сдать тест на коронавирус.

Врач сказала, что я ни в коем случае не должна похудеть. Я должна поправиться.

— Это важно. Постарайтесь не терять вес! Иначе мы не сможем набрать достаточное количество клеток костного мозга. Ешьте побольше и набирайте вес. Было бы хорошо набрать полтора-два килограмма.

Где мне купить пирожных и булочек, в нашей булочной на Рубинштейна? Или в универсаме рядом с клиникой? Решила, что в нашей булочной во дворе напротив: там меньше выбор, зато быстрей окажусь дома, быстрей помою руки, меньше шансов заразиться. От меня зависит жизнь другого человека: если я заболею, не смогу быть донором. Пока найдется другой донор, человек, возможно, умрет. Но главное, никаких бурных эмоций, — ах, я спасу человека!.. Это обыденное дело, которое надо сделать, и все.

— А вы не можете мне сказать... хотя бы намекнуть?

— Нет, — сказала врач и посмотрела на меня, как будто я не просто псих, а назойливый псих. — Я же вам объяснила.

По закону мне не имеют права сказать (и намекнуть), для кого я сдаю костный мозг. Закон оберегает донора: для донора будет психологической травмой, если реципиент умрет. Я знаю, что врач не скажет. Я просто подумала — а вдруг скажет.

Врач сказала только, что это человек из Петербурга, и если у него все будет хорошо, то мы сможем встретиться через два года. Не раньше.

От клиники до такси несла себя как драгоценную амфору и везла себя в такси как драгоценную ампулу. Купила в нашей булочной много всего: булочки с маком, пирожки, самый калорийный сыр и бананы. Мой вес 51,5 кг. Будет хорошо, если я наберу полтора-два килограмма. Но три килограмма будет еще лучше, я постараюсь набрать три.

Вернулась за пирожными «Корзиночка с кремом из сгущенки».

Когда я входила во двор, кто-то сзади взял меня за локоть. Я оглянулась — ужас! Незнакомая женщина сказала мне прямо в лицо: «Вы пришли?..» А у нее маска спущена на подбородок! Я отпрыгнула от нее и закричала на весь двор:

— Почему без маски?! Почему подходите так близко?! Почему дышите мне в лицо?!

— Я не заразная. Моему сыну нужна классика из школьной программы, у вас есть?.. У вас на окне, между прочим, висят часы работы, а вас нет... в рабочее время.

Ага, каждый считает, что он не заразный! Я сняла перчатки, сунула в карман, порылась в сумке, достала новые перчатки, надела новые перчатки, дала ей одноразовую маску. Черт ее знает, где она ходила в этой своей маске на подбородке.

Какие бывают странные люди! Недаром она носит маску на подбородке. Она долго выбирала из русской классики, колебалась между Толстым и Тургеневым.

Маратик в моем розовом халате заглядывал в лавку из комнаты и делал мне знаки: гримасничал, махал руками. Мы договорились, что он никогда не выходит в лавку в халате, это строгое правило. Иначе нет смысла играть; в настоящих книжных магазинах никто не высовывается из подсобки в халате и не спрашивает продавца сонным голосом, не хочет ли тот сделать ему яичницу. Женщина положила на прилавок Толстого, но все еще колебалась, уходила к другому стеллажу, возвращалась к Толстому, уходила к коробке с детективами. Как собака, которая играет с косточкой — то лизнет, то отскочит.

Маратик скрылся в комнате и через минуту встал в дверях, держа в руках картонку, как на митинге: «Где ты шляешься?! А кто в лавке остался? Я, что ли? Мне позвонили!»

Ему позвонили? Ему позвонили!

Женщина спросила, кто лучше, Толстой или Тургенев, а когда я сказала «оба лучше», купила «Уход и содержание ежа в домашних условиях». У них дома еж, что ли?

Все сходится: сначала вызывают меня, убеждаются, что я не мираж, я все подписываю, и только потом звонят ему.

Маратику позвонили, когда я была в булочной, мы посмотрели время звонка — ему позвонили, когда я покупала корзиночки с кремом из сгущенки.

...О господи, я дура! Я могу прямо сейчас точно узнать! Если операция Маратика назначена на тот же день, что и мне, то я точно его донор. А если нет, я донор другого человека.

— Когда у тебя операция? И где? Операция когда, я тебя спрашиваю?!

— Не ори на меня. Через три недели и два дня, а что?

Операция у Маратика в тот же день и в той же клинике, что и у меня. Теперь я могу сказать Маратику, что мы с ним генетические близнецы. Представляю, как он обалдеет, и Саня тоже. ...Маратик обалдел, конечно, но не так сильно, как я думала. Посмотрел на меня оценивающе:

— А другого донора нет? Я не хочу, чтобы у меня были твои глупые кудряшки... Вот, в интернете написано: «После трансплантации у пациента могут измениться волосы и цвет глаз, и даже вкусовые привычки». ...А уши?! У меня будут уши, как у тебя?! Я не хочу такие уши.

...Я уже засыпала, и вдруг Маратик больно пихнул меня локтем: «Лиска где?! Лиски нет!..»

Лиска завалилась за диван с моей стороны. Лиска лежит между мной и Маратиком. Маленькая, размером с ладонь, облезлая плюшевая лиска. Перед тем как лечь спать, Маратик вытащил лиску из рюкзака и положил между нами, сказал, что дома лиска спит с ним. Я и не знала, что у него в рюкзаке лиска. Маратик стесняется, что влюблен в свое детство.

...Уже в полусне, заплетающимся языком, Маратик рассуждал, как неудачно получилось, что донор именно я.

— Я мог в тебя влюбиться, несмотря на твои уши... Что бы я теперь делал? Нельзя любить того, кто вытащил тебя из огня или дал тебе орган, в общем, спас тебе жизнь. Любить можно только того, кто делает тебе плохо. ...Слушай, а ты не лопнешь? У тебя дикий ночной жор.

Раз уж он меня разбудил, я решила — съем еще одну булочку. Я жевала булочку безрадостно, как корова жвачку, это была уже пятая булочка за ночь. Хотела сказать в свое оправдание, что мне необходимо поправиться на три килограмма. Не сказала из стеснительности, чтобы не подчеркивать, что ем булочки для него, что я претендую на его благодарность за то, что давлюсь этими булочками, что он болен, а я здорова. ...Думаю, я уже наела граммов триста.

— Это завтрак. Я завтракаю, понятно?

— Понятно: сейчас три часа ночи, ты завтракаешь.

Маратик прочитал в интернете: при трансплантации у пациента могу измениться привычки и увлечения.

— Не рассчитывай, что после трансплантации я буду заниматься лавкой, вести книжный клуб... и все расставлять параллельно, перпендикулярно и сметать со стола крошки. ...Давно хотел спросить: что тебя больше раздражает — крошки на столе или крошки в кровати?

— Крошки на столе. ...Невозможно жить, пока не смету.

У меня было странное чувство, что я яйцо, драгоценное яйцо, в яйце игла, на конце иглы Кощеева смерть. Во мне заключена жизнь Маратика, и в этих булочках — жизнь Маратика.

Когда я сдавала кровь для регистра, я была заворожена тем, что у меня где-то есть генетический близнец. Сейчас это совсем неважно. Не важно, кто донор.

Важно другое. Что, если после операции выяснится, что я не совсем подхожу, и его клетки начнут отторгать мои? Так бывает, это называется «трансплантат против хозяина». Маратик умрет, если я не совсем подхожу.

А вдруг со мной что-то случится, я заболею, когда ему уже убьют иммунитет, и я стану его невольным убийцей?

Заснула под бормотание Маратика:

— Концепция смерти Эпикура... Не верю, что со смертью полностью прекращается работа сознания... Хрисипп, Зенон, Цицерон, Марк Аврелий, все считали, что научиться правильно жить значит научиться правильно умирать, и наоборот... Балда, ты чувствуешь вечное молчание безграничных пространств, о котором говорил Паскаль?.. А ты боишься смерти, Балда?

— Я очень сильно боюсь смерти, вот, даже руки дрожат, — сказала я, взяла Маратика за руку, чтобы он знал, что мы вместе боимся, и начала уплывать в сон.

Последняя мысль, перед тем как заснуть, была: «А что не так с моими ушами?»

**Цитата дня:**

Переговоры животных посредством издаваемых ими звуков весьма широко распространены в животном царстве. Правда, мы слышим звуки у немногих сравнительно животных: у зверей, птиц, амфибий, немногих рептилий, также у насекомых, остальные все животные кажутся нам немыми, но можно предполагать, что это так кажется нам только вследствие несовершенства нашего органа слуха.

*Брэм. «Жизнь животных», том 1*

Саня здесь. Вернее, Сани нет. Сначала Саня здесь, потом не здесь, потом опять здесь.

Пришел утром, полдня звонил по аптекам: искал какое-то лекарство для диабетиков по льготному рецепту. Крикнул «нашел!», убежал, вернулся, опять звонил по аптекам...

Я уже выучила наизусть то, что он повторяет по телефону: название лекарства, источник финансирования федеральный бюджет, код категории пациента, дозировка, количество таблеток на месяц. Купить пенсионерам нужное лекарство по льготному рецепту — это настоящий квест: нашел три упаковки в аптеке в Озерках, помчался туда, но оказалось, что, пока он ехал, кто-то забрал одну упаковку. А Сане нужно три. Взять оставшиеся две упаковки нельзя, — при этом забирают льготный рецепт, но нужно три упаковки, и пенсионеру придется покупать третью на свои деньги.

Предложила купить лекарство самим, но Саня сказал: «Это неправильно, таких заказов много, и каждому его лекарство нужно каждый месяц». Саня всегда добавляет в заказы что-нибудь от нас — конфеты или печенье для диабетиков, Маратик подписывает пакетик с печеньем «С пионерским приветом, Тупой, Балда и Маргинал». Саня, конечно, прав: это не одноразовое лекарство, многим каждый месяц требуются три упаковки, мы не можем всегда сами покупать лекарства. Получается, что кроме Сани добыть нужное лекарство не сможет никто.

К ночи Саня опять здесь.

Я собиралась объяснить Сане, что между нами больше ничего не будет: у нас, в лавке «Чемодан», территория дружбы. На территории дружбы невозможен секс, и даже дружеский секс не приветствуется.

Если честно, это был не совсем дружеский секс, а скорее, корыстный. Я переспала с Саней из корыстных соображений: чтобы закрепить его за собой. Чтобы, когда закончится карантин и начнется жизнь, не быть одной, как дура. Ведь я объявила отцу, что у меня большая любовь, но теперь у меня нет никакой любви, ни большой, ни маленькой, я — лишний контакт.

Самонадеянно решить, что у тебя большая любовь. Унизительно объявить о большой любви, разрушить отношения с отцом и остаться одной. Как будто ты провалился на школьном спектакле: расхвастался, что у тебя главная роль, и всех пригласил — и провалился у всех на глазах.

Я подумала — скажу отцу, что я теперь с Саней, что я сама захотела все перерешить.

Секс в корыстных целях плохо, что уж тут... но разве я одна такая?.. Сколько раз Скарлетт выходила замуж из корысти, два или три раза? А Шарлотта? Шарлотта из «Гордости и предубеждения»? Женила на себе презираемого ею мистера Коллинза, чтобы «устроиться в жизни».

Для Скарлетт «устроиться» означало выжить, для Шарлотты — выйти замуж, для меня — не выглядеть жалкой самонадеянной дурой в глазах отца. У всех нас имелась задняя мысль обеспечить себе тыл. Я уж не говорю про Кити: я верю, что она любит Левина, но она полюбила его после того, как ее бросил Вронский. Самолюбие, несбывшиеся надежды, вот это все.

К тому же я загадала: если больше не буду спать с Саней, то все получится, я подойду как донор. Рассказывать об этом Сане нельзя: смысл загадывания в том, что знаешь только ты. Только ты знаешь, что ты загадал.

Я собиралась уклончиво сказать Сане: «Пока нет, но, может быть, когда-нибудь да». Но мне не пришлось ничего объяснять: родителям подростка не до секса.

Маратика нет. Исчез, не звонит, где-то играет. Завтра Маратик должен лечь в клинику: его будут обследовать и готовить к операции. А его нет!.. Мы с Саней два часа сидели рядышком в креслах у камина, он в розовом, я в зеленом, с напряженными лицами, как родители загулявшего на дискотеке подростка, и переругивались: «Ты должна была за ним следить» — «Вот сам и следи! Мне что, его к батарее приковать?».

Когда Маратик появился (в час ночи), мы в один голос воскликнули: «Где ты был?! Мы чуть с ума не сошли!», а я еще добавила: «У меня из-за тебя сердце заболело».

— А что я такого сделал?.. Тупой бегает по аптекам, ты весь день сидишь-долбишь...

Да, я переводила и в перерывах читала Дневники Адриана Моуэла, их пять: пять дневников разного времени, в первом Адриану шестнадцать, а в последнем около сорока, и у него рак простаты. Мне нравится, что показана целая жизнь, также мне нравится, что у него безумные родители, хуже которых невозможно себе представить. На фоне родителей Адриана Моуэла любые родители выглядят достойно.

— Что мне было делать? Я не хотел тебя отвлекать, не знал, чем заняться...

Где-то я это читала. ...У жены Достоевского, вот где! Фёдор Михайлович придумывал объяснения своим решениям пойти в казино: его не разбудили, у него появилось свободное время, некуда человеку пойти — вот и пошел попытать счастья.

— Я в плюсе, — похвастался Маратик, — за эту неделю я в плюсе, а сегодня вообще мой день, я сделал ребай и...

— Ребай, ерунда какая-то, — холодно сказал Саня.

— Сам ты ерунда. Ребай — это возможность докупить фишки... а-а-а, что с тобой говорить... Ладно, я понимаю, вы волновались, я плохой... Слушайте, у меня идея. Давайте сегодня всю ночь разговаривать... — предложил Маратик и хитро добавил: — Чтобы не опоздать в клинику. ...Как вам? Обжоры могут разговаривать с набитым ртом.

Это была хорошая идея: устроить прощальную диванную вечеринку, чтобы мы втроем легли на диван и всю ночь разговаривали.

— Давайте в порядке стёба обменяемся секретами, — предложил Маратик.

Саня поморщился, но кивнул. Он не из тех, кто ночами разговаривает. Он из тех, кому нужно выспаться, чтобы утром вовремя начать делать добрые дела. Но Саня, как и я, все прочитал в интернете про болезнь Маратика. И, должно быть, решил, что провести сегодняшнюю ночь в разговорах — это доброе дело, самое важное на этот момент: мы будем развлекать Маратика и отвлекать от мысли, что завтра он ложится в клинику.

Маратик предложил, чтобы каждый из нас рассказал о себе что-нибудь плохое. Для начала не обязательно самое плохое, можно просто плохое. Таких сцен полно в английской литературе: старинная усадьба с садом, в доме большая детская, после ухода няни дети делятся мечтами и секретами, откровенничают, обсуждают взрослых.

Мы зажгли свечи, притащили на диван поднос с едой, бутылку вина для Сани, мы с Маратиком не будем пить, но Сане можно.

— Я здесь самый плохой, я начну, — сказал Маратик. — Так, с чего начать?.. Я воровал деньги из коробки. В буфете стояла коробка с деньгами на хозяйство, я воровал оттуда деньги. Копил на мотоцикл. Складывал награбленное в носок. Я таскал оттуда понемногу, но часто. Мама решила, что это домработница ворует, и уволила ее.

— Безобразие, — возмутился Саня. — Сколько тебе было лет? Шестнадцать?

— Пять. Я копил на мотоцикл маме. Думал, ей понравится кататься на мотоцикле. ...Вот еще один секрет: секс с маминой подругой. Она приходила в гости с коробкой пирожных. Когда она рассказывала при мне анекдот или сплетничала о знакомых, мама пугалась и шикала «это не для детских ушей». Она краснела и отвечала «прости, забыла, что он еще маленький», а у нас с ней был секс. Это был такой стеб, — чтобы она сказала «он еще маленький», а у нас с ней секс. Ну как, прикольно?

— Тебе было пять? — подозрительно спросил Саня.

— Шестнадцать.

— Ну тогда да, прикольно... даже почти смешно.

Маратик обиделся.

— Тебе нечем судить, смешно или почти смешно, у тебя полностью отсутствует чувство юмора. ...Давайте продолжим. Самый плохой тут я, но может быть, еще кому-то есть что рассказать?..

Саня помрачнел и долго со вкусом молчал. Маратик любит разговаривать, я люблю думать, а Саня любит мрачно молчать.

— О чем ты молчишь, малыш? — участливо сказал Маратик. — В твоем прошлом есть страшная тайна, ты один раз не заплатил в троллейбусе?

Саня, молчаливый молчун, молчал-молчал, и мы принялись гадать: «Саня, ты киллер?», «Ты содержишь бордель?», «Ты педофил?».

— Неужели ты... — в ужасе произнес Маратик, — ты... один раз обманул игровой автомат?

И тут случилось невероятное. Саня сказал:

— Я скажу, но это реально очень плохое.

Наверное, Саня, как и я, все это время думал: вот мы втроем, на диванной вечеринке, но Маратик завтра уйдет и может не вернуться. Мы оба думали про смерть, как она близко. Встреча со смертью приводит к изменению мировоззрения, или к катарсису, или к необычным поступкам. Когда Призрак грядущего Рождества показал Скруджу его похороны, Скрудж пережил катарсис и из скупца превратился в доброго щедрого человека. Ничем другим я не могу объяснить то, что Саня решил нам рассказать.

Ну, еще тем, что его, очевидно, это очень мучило. И тем, что даже Сане иногда нужно рассказать. У Фрейда есть такой термин — «желание открыться»: что-то заставляет нас открыться другому человеку, хотя мы спокойно могли бы хранить этот секрет. И ночь, ночь и свечи придают всему какой-то иной смысл, к тому же Саня выпил один почти всю бутылку вина.

— Я скажу, скажу, — повторил Саня.

— Ну, говори, — поддержал Маратик.

— Я скажу.

Саня так мрачно молчал, что Маратику стало его жаль.

— Ладно, мы верим, что ты негодяй, можешь и дальше молчать.

— Я с ней спал. Я с ней спал!..

— Ух ты... Зачет. Это посильней, чем мелочь из буфета тырить.

Я не поняла, с кем Саня спал, но Маратик смотрел на меня с выражением «я же говорил» и «среди нас есть люди, которые разбираются в человеческой природе, и это не ты», и я поняла. Ну, вау! С женой отца! Маратик и правда сразу же сказал: просто так МГИМО не бросают, там что-то есть, например Саня спал с женой своего отца. Я тогда засмеялась: «Фу, какой пошлый сериальный ход». Дешевый сериальный ход оказался правдой, а я ничего не понимаю в человеческой природе... по крайней мере, в Саниной природе.

— Я боролся, — горестно сказал Саня.

— С кем? Если хочешь, расскажи, тебе станет легче, — предложил Маратик.

Маратик думает, что Саня сможет рассказать о своих чувствах? Саня не умеет говорить о чувствах, уж я-то знаю...

Я сама могу рассказать, я хорошо представляю себе, как молодая скучающая хищница украдкой кидает на Саню страстные взгляды. Как она его соблазнила. Саня не понимал, что происходит, боролся с собой, а когда она его соблазнила, все смешалось в его бедной голове. Она испугалась, что их связь может в любую минуту открыться, и отправила его домой. ...Саня заплатил за ее скуку своей будущей жизнью, своими планами, всем... Сто раз читали. Вернее, смотрели, в сериалах.

Я сказала:

— Забудь. Все знают, что к сексуальной стороне жизни вообще не применяются моральные оценки, там только инстинкты. А за инстинкты мы не отвечаем.

На самом деле я не знаю, отвечаем ли мы за инстинкты. Может, да, а может быть, и нет. Я просто хотела его утешить. Поддержать, и все такое. Разве друзья затем, чтобы важно кивнуть «да, ты плохо поступил»? Чтобы быстренько начать тебя осуждать, если тебе и так плохо? Друзья должны быть на твоей стороне. Они должны сказать «я и сам такой же» или «я тебя понимаю». Лучший выбор «я и сам такой же», тогда ты подумаешь, что не все потеряно.

Маратик, очевидно, считает так же. Сказал, что все это фигня и надо забыть, у него самого был похожий случай. Вот только у Маратика не могло быть «похожего случая», у него нет отца. Он просто жалеет Саню. Странно, что именно сегодня, когда Саня должен жалеть Маратика, Маратик всю ночь жалеет Саню.

— Ты друг, — сказал Саня.

Почему только Маратик друг, а я? Мужская солидарность?

— Я друг, — подтвердил Маратик. — Друг понимает, что ты можешь случайно переспать с женой отца, хотеть чипсов, жрать восьмой пирожок, друг не врет... Я фыркнула, и Маратик мгновенно взвился:

— ...Что я тебе соврал?! Конкретно, что?..

Хм... конкретно ничего, но, если взять картину в общем... Говорил, что решил больше не играть, — врал. Говорил, что будет рано вставать, делать зарядку, есть морковку вместо чипсов, — врал. И всегда это заканчивалось одинаково: я просила прощения за то, что не так его поняла.

— ...Как с кем я боролся? С собой, — застенчиво сказал Саня. — Я же нормальный человек.

Боролся с собой?.. Значит, Саня был влюблен. И сейчас влюблен. Бедный Саня, его мучает совесть за то, что влюбился в жену отца. Саня отрастил себе такую совесть, что она его очень больно мучает. ...И... и как же я?

Саня больше не мой герой. И не герой советского романа. Тимуровцы не влюбляются в жену отца. Мальчик из «Честного слова» не мчится тайком на свидание в съемную квартиру. Если «Тимур и его команда» влюбляется в жену отца, то немедленно бежит, не дав любви осуществиться, и на бегу становится еще лучше. Герой советского романа уж если хороший, то хороший. А Саня нет... Переспать с женой отца, пусть даже один раз или два, пусть от злости, в знак протеста, — это и правда не очень... Кажется, Саня уже не самый хороший человек на свете...

Почему-то Саня стал мне ближе. Теперь, когда Саня уже не кажется таким недосягаемо хорошим, таким идеальным, он стал мне ближе. Мне его жалко, и я немного радуюсь, что не во мне одной есть плохое, в нем тоже есть слабость и нечестность. ...Вот мы, все трое, Тупой, Балда и Маргинал, мы вообще нормальные? У меня в прошлом кое-что есть, Маратик — игрок, Саня спал с женой отца: грани нормальности заиграли новыми красками.

...Я сказала в утешение Сане, что плохие и хорошие люди остались в прошлом, современные люди не плохие и не хорошие, они амбивалентные, как мы.

— ...Кажется, я из вас самый хороший, амбивалентные мои... А вот бизнес жалко, перспективы и все такое... — цинично сказал Маратик. — Тупой, может, вернешься? Может, черт с ней, с женой отца?

— Так я же не из-за этого уехал. Это меня вообще не волнует. Отец ведь тоже сделал генетический анализ.

Маратик вздохнул:

— У Тупого способность строить причинно-следственные связи, как у суслика. И он очаровательно ведет беседу. Я уже ничего не понимаю.

Но нам не удалось понять: Саня ушел в туалетик и не вернулся. Не вернулся к нам, зачем-то направился в лавку — хотел побыть один? — и заснул в кресле, в зеленом. До меня очередь не дошла, вот и хорошо!..

**Цитата дня:**

Мы, смертные мужчины и женщины, глотаем много разочарований между завтраком и ужином, прячем слезы, бледнеем, но в ответ на расспросы говорим: «Так, пустяки!» Нам помогает гордость, и гордость — прекрасное чувство, если оно побуждает нас прятать собственную боль, а не причинять боль другим.

*«Мидлмарч»*

Под утро мы с Маратиком поняли, как перехитрить врачей. Как удостовериться, что мы генетические близнецы. Написать открытку. Врачи не скажут Маратику, кто его донор, но после трансплантации он может попросить врача передать донору открытку. Так можно, и даже так принято. Врач проверит, чтобы на открытке не было адреса и телефона, и никаких указаний на конкретного человека. Если мы сейчас напишем открытку, я пойму, что это Маратик.

Но где нам взять открытку посреди ночи? И даже днем негде, ведь книжные магазины закрыты.

Маратик нашел открытку, которую я купила у старушенции, псевдоподруги Довлатова, старую открытку «8 Марта». Врачи удивятся — какой странный пациент, приволок для донора старую исписанную открытку. Но другой у нас не было.

Маратик написал на открытке: «Спасибо за жизнь, Балда!» Крупными буквами «Спасибо за жизнь» и незаметно, под лепестком розы, «Балда». По-моему, слишком пафосно, было бы лучше «Привет, у меня все хорошо». Иногда он бывает сентиментальным.

Я проснулась от крика «Вот сука!». Надо мной стоял Саня, кричал:

— Вот сука, сбежал!..

— Он здесь, он же не идиот, — сказала я.

Маратика не было.

Нигде не было, ни на диване, ни в туалетике, ни в лавке. Маратик исчез.

Через час я впала в истерику. Сидела, пришитая ужасом к дивану. Вещи собраны. Такси заказано. Маратика нет.

Теперь уже совершенно ясно: Маратик идиот. Он решил сбежать. Ему страшно делать операцию.

На самом деле, операция — это очень страшно! Сначала Маратика будут обследовать. Затем, за десять дней до операции, положат в бокс и начнут делать химию. Ему будут убивать костный мозг, чтобы на его место заселить новые клетки. Маратик будет там в полной изоляции. Если бы не эпидемия, мы могли бы прийти к нему. Мы были бы в масках, перчатках и защитных халатах.

Но сейчас, в эпидемию, никого не пустят. Маратик будет один, когда он так нуждается в нас... или в любых других людях. Лежать в боксе одному и знать, что один случайный вирус может убить, — это очень страшно, как будто ты вышел на дорогу умирания.

Первые несколько недель после трансплантации самые опасные: все старые клетки убиты химией, а как себя поведут новые, неизвестно. В какой-то день он может почувствовать себя лучше и обрадоваться. На следующий день ему может стать хуже или совсем плохо. Он будет думать, что это конец, он умирает, ничего не вышло. Может быть, так и есть, а может быть, это временное ухудшение. Маратик не будет этого знать. Все это время с ним будут только врачи, не мама и не мы. Это ад с непредсказуемыми результатами: лежать в одиночестве, не зная — тебе временно стало хуже или ты умираешь.

В интернете написано «выздоровление в восьмидесяти процентах случаев», но может быть, пройдешь ад и попадешь в двадцать процентов. Маратик решил, что лучше сбежать, и будь что будет.

— Очень на него похоже, — сказал Саня.

— ...Ну что, вы уже собирались ловить меня, как потерявшегося питомца? Я тут, поехали, — сказал Маратик. — Послушай, Балда... маме я скажу после трансплантации, когда выйду из больницы, когда все уже будет хорошо... А может быть, вообще не скажу. Зачем говорить, если все уже хорошо? ...А если плохо, то у меня есть что-то вроде завещания.

Саня замер. Отозвал меня в сторону, прошептал:

— Не говори ему «ты с ума сошел, какое завещание?». Это будет оскорбительно. Мы ведь знаем, что он может умереть. Он знает, что мы знаем. Ты должна быть честной. И сильной. Ну, ты как бы должна пройти с ним весь путь.

— Если я умру, ты получишь мое второе самое дорогое, наш общий бизнес, книжную лавку «Чемодан», — сказал Маратик. — Пусть Тупой тебе помогает. Помни, что Тупой бесполезен для игры, но небесполезен для простой физической работы — стеллажи чинить, коробки таскать.

— Хорошо, я все исполню, — сказала я, — и возьму себе твое первое самое дорогое. Если ты умрешь.

— Если я умру, конечно, лиска твоя.

Саня сказал, что есть вещи, над которыми нельзя смеяться: смерть, блокада. Маратик сказал, что смерть не повод не смеяться. Саня сказал, что не будет смеяться над смертью, войной и блокадой. Маратик назвал его пафосным жирафом, и они ушли, переругиваясь.

## СИРЕНЕВЫЙ ДЖЕК ЛОНДОН

**Цитата дня:**

— А играть любит, — продолжала она, идя впереди Грэхема к карточным столам. — Это один из его способов отдыхать. И он отдыхает. Раз или два в год он садится за покер и может играть всю ночь напролет и доиграться до чертиков.

*«Маленькая хозяйка большого дома»*

Ура, мне подарили коробку из-под собачьих консервов! В коробке книги, конечно.

Книги в коробке из-под собачьих консервов принесла неприятная девушка.

— Извините, что отвлекаю вас от чтения. У вас такое лицо, как будто я не в магазин пришла, а к вам домой и помешала читать. Вы предпочитаете общаться с персонажами, а не с покупателями? — едко сказала девушка. Бывают такие покупатели, которые начинают склочничать ни с того ни с сего. Я и сама пару раз бывала таким покупателем, когда у меня было плохое настроение. — Мне сказали, что вы берете старые книги.

Я кивнула — конечно, давайте посмотрим. Но знала, что не куплю. Во-первых, девушка неприятная, во-вторых, я уже много чего купила в рамках игры. Но дело не в этом: я поклялась себе не покупать больше книг. Мне стало неинтересно играть в книжную лавку.

Если бы со мной был Маратик, он бы сейчас сказал: мы больше не можем позволить себе необдуманных вложений. Маратика нет, и мне не с кем спорить, некого убеждать, что коробка книг — очень даже обдуманное вложение в наше будущее. Но кому интересно играть одной? Мне нет. Я, кажется, больше не играю.

— Знаете, я не буду смотреть. Я все равно не смогу купить. Поклялась себе не покупать больше книг, понимаете?.. Я только быстро посмотрю, хорошо?

В коробке были детские книги, изданные в шестидесятых годах. «Винни Пух и все-все-все», первое издание с иллюстрациями Алисы Порет, «Два капитана», издание 1945 года. «Королевство кривых зеркал» (Нушрок с крючковатым носом), «Сказка о потерянном времени» (единственное, что я не люблю у Шварца), «Необыкновенные приключения Карика и Вали» (занудная, люблю), «Динка» (обожаю), «Фантазеры» (рваная обложка), «В стране невыученных уроков» (в пятнах), «Три девочки», «Старшая сестра», «Девочка, с которой детям не разрешали водиться».

Я вздохнула. У меня совсем нет детских книг! Есть «Орден Желтого Дятла», «Незнайка» и Бианки. У меня была «Лесная газета», я продала, кто-то принес «Лесную газету», я продала, кто-то опять принес «Лесную газету», и сейчас она стоит на первом стеллаже от окна. Не знаю, почему через лавку проходит круговорот Бианки в природе, почему именно «Лесную газету» все время продают и покупают, но факт есть факт: люди любят Бианки.

Неприятная девушка сказала: если мне нужно это бабушкино старье, она оставит мне коробку, и я смогу в ней порыться. Там много.

Когда говорят «там много», возникает волнение в животе, перехватывает дыхание, сплетаешь пальцы и нервно хрустишь, как Каренин. Думаешь, что там.

Неприятная девушка сказала, что у нее есть две причины сделать мне подарок: хочет избавиться от старья, а также почистить карму. Чтобы почистить карму, нужно сделать то, чего она никогда не делает: подарок. Мы немного поспорили: неприятная девушка сказала, что это подарок, а я, что это, можно сказать, антикварные книги. Антиквариатом считается все, что старше пятидесяти лет. Антиквариат нельзя принимать в подарок.

Нельзя, но кто бы удержался от того, чтобы хотя бы узнать, какие книги в коробке?

Пока я рассматривала книги, неприятная девушка ушла. В принципе, ее цель достигнута: если дети будут читать эти книги, это сильно улучшит девушкину карму.

...Ха-ха, я счастлива, как птенец. Антикварная детская библиотека украсит любую книжную лавку.

**Цитата дня:**

Но он был в затруднении, о чем думать: о письме ли старосты, о переезде ли на новую квартиру, приняться ли сводить счеты? Он терялся в приливе житейских забот и все лежал, ворочаясь с боку на бок. По временам только слышались отрывистые восклицания: «Ах, боже мой! Трогает жизнь, везде достает».

*«Обломов»*

✓ плохих отцов, незримо присутствующих в лавке, — бесконечное множество

Саня медленный, ничего не поделаешь, у него такой темперамент: говорит медленно, думает медленно, страдает медленно... и от него все узнаешь медленно. Ему трудно дать ответ на вопрос «Почему ты уехал из Москвы?» или «Почему ты вернулся в Питер?». С вопросом «почему ты это сделал» всегда так: сам не знаешь, сложно сформулировать или не хочется. Например, ты залез в буфет, съел банку варенья, банка упала и разбилась. Тебя спрашивают: «Почему ты это сделал?» Что ответить? «Очень захотелось варенья», или «Мой организм требовал сладкого», или «Я такой порочный»? Или «Я должен подумать»? Вопросы, которые начинаются с «почему», окончательно запутывают. Лучше говорить короткими рублеными фразами и задавать прямые вопросы.

— Ты хочешь вернуться в Москву? Забыть про этот роман? Вернуться в Москву?

— Да наплевать мне на этот роман!

— Но ты сказал, что это «реально плохое»...

— Дело не в романе.

— А в чем дело?

— Это не роман.

— Не роман, а что?

— Не роман.

Хорошо, попробую по-другому.

234

— Ты говоришь, что дело не в романе. Так?

Саня кивнул, посмотрел на меня с благодарностью за то, что я наконец-то его поняла.

— Он сказал, что отдаст мне часть бизнеса. Я сказал, что не хочу. Он сказал, что я плохой человек. Раз я не хочу заниматься его бизнесом. Он его создал, а мне не нужно. Он думает, все ему принадлежит. Так и есть. Ему все принадлежит. Аптеки, люди, которые у него работают, жена, я. ...Я уехал.

— Ты не хочешь бизнес, ты хочешь быть учителем, это нормально.

Это стандартный сюжет: отец хочет, чтобы сын прославил его имя, баллотировался в парламент или пошел во флот, а сын выбирает скромную, но осознанную жизнь — стать викарием... или учителем.

— Да не хочу я быть учителем! Я хочу заниматься бизнесом. Это азарт, сила, власть. Я всего этого хочу. Я хочу бизнес. У меня есть идеи. Я очень хочу бизнес. Хочу иметь власть. У меня ген убийцы, как у отца. Я плохой человек.

Саня не хочет бизнес, но хочет. Саня не хочет быть учителем, Саня хочет заниматься бизнесом? Хочет власти. Ух ты, Саня хочет власти?! ...Но что здесь удивительного? Все объяснимо: у Сани есть ген убийцы.

— Генетический анализ, ген убийцы... — приговаривала я, будто приманивая кота «кис-кис-кис».

Генетический анализ показал, что у Сани есть ген убийцы и нет эмпатии. Строго говоря, гена эмпатии не существует, эмпатия связана с генетическими вариациями. Вариации у всех людей разные. У Сани вариации, которые говорят о том, что у него нет эмпатии. Вернее, у него очень низкий уровень эмпатии.

Сначала мне показалось, что это бред: у Сани плохо с эмпатией? У Сани, который всем помогает, только и смотрит, как бы кому-нибудь помочь?.. Но если подумать, все не совсем так. Помочь и понять — это совсем разное. Эмпатия не имеет отношения к «помочь»: это способность понять, что чувствует другой человек, и почувствовать то же... Это я за Саней знаю: он так и не понял, чего я хотела. То есть я напрасно приставала к нему с любовью и чувствами, но можно было хоть раз сказать мне, что он меня любит?! Что я ему нужна не только как объект, о котором можно заботиться. Саня заботится, но не понимает. ...Выходит, генетический анализ не ерунда.

...Выходит, и ген убийцы не ерунда?

Расстроилась бы я, если бы у меня обнаружился ген убийцы? Ой, да!.. Я бы испугалась, что я жестокий человек, что могу стать убийцей. И если бы убила комара, то волновалась бы: значит ли это, что дело в моих генах, или я просто убила комара? Несправедливо: тебе выдали набор генов, и — все предопределено, ты беспомощен что-то изменить.

Но если бы у меня было плохо с эмпатией, я бы не расстроилась: ну, не понимаю я других людей, не сопереживаю, и что?.. С этим можно жить.

Психолог, который интерпретировал результаты генетического анализа, сказал Саниному отцу, что это опасное сочетание: ген убийцы и отсутствие эмпатии. Это сочетание делает человека безжалостным, способным перешагнуть через все ради власти, денег, выгоды... И других целей.

Но самое интересное, что у Саниного отца тоже есть ген убийцы. Саня унаследовал ген убийцы не от него, этот ген наследуется от матери, но вот такое совпадение: у них обоих есть ген убийцы и отсутствует эмпатия. Интересно?.. По-моему, очень!

— Ты поняла? У отца те же гены. Он плохой человек. Жестокий. Мама говорит, он вообще не понимает, что чувствуют другие люди. Я видел, как он поступает с людьми. Издевается, не платит зарплату, говорит «а куда они денутся?». У него финансовый директор плакал, прямо в офисе. Мои сестры его боятся. Он никого не любит. Он плохой человек. Я не хочу быть плохим.

У отца те же гены, и он плохой человек, Саня не хочет быть плохим. Я поняла.

Но все-таки не совсем поняла.

— Но ты же не он! Ты не он. Ты никогда не поступал, как он. Ты никогда не будешь поступать, как он...

— Я уже.

— Что ты уже?

— Я от злости. Во мне была злость. Я хотел его победить. Мне нужно было его победить. Взять над ним верх. У меня гены.

Гены? Везде написано, что окружение и воспитание важнее природы. Значит, это просто утешение? Значит, гены сильней?.. Вовсе не жена отца соблазнила Саню, и Саня не был в нее влюблен: он хотел победить отца. Как в доисторические времена: я взял твою женщину, значит, я сильней, я главный.

— Я все время об этом думаю: кто я, что у меня в мозгах. Этот чертов ген, этот генетический анализ на меня давит. Мне важно, нормальный ли я, потому что мой отец ненормальный. Мне за него стыдно. Не хочу быть как он. Не хочу хотеть бизнес. Не хочу этот ген кормить... Если я там останусь, я стану таким же, как отец. Может, стану убийцей... кто знает... Если я в бизнесе, мне не важны люди. Я в себе это чувствую и боюсь. Я хочу быть хорошим человеком, как здесь, в Питере, как дома. ...Поняла? Я не плохой, Лика!

Теперь поняла. Саня не может выразить свои чувства, но от этого его чувства не перестают быть сильными. Не ожидала, что у него такие сильные чувства!

— Но ты уже хороший человек! Ты бегаешь по всему городу за лекарствами для какого-нибудь деда не потому, что борешься с генами, воспитываешь в себе гуманиста! Тебе зачем эти лекарства?

— Как зачем? — удивился Саня. — Чтобы он принимал. Три упаковки в месяц.

— Вот.

Не знала, что еще сказать. Ненавижу говорить про отцов и обвинять их во всем, что происходит с нами. Отцы делятся на тех, за которых нам стыдно, и тех, перед которыми стыдно. И тех, которых мы никогда не видели. Сане стыдно за своего отца, мне стыдно перед моим, а Маратик никогда не видел своего отца и может жить, как хочет.

СН говорил, что в сложных ситуациях, когда не знаешь, что сказать, нужно совершать простые действия, например пить чай. ...Саня принес бублики.

...А если уж обвинять отцов во всем, что происходит с нами, то мне тоже есть что сказать: СН. Во всем виноват отец: он меня с ним познакомил, он и виноват. Шучу, я сама кузнец своего счастья.

## ЧЕРНЫЙ С ЗОЛОТОМ ЧЕХОВ

**Цитата дня:**

*Ольга.* Не свисти, Маша. Как это ты можешь! *Пауза.* Оттого, что я каждый день в гимназии и потом даю уроки до вечера, у меня постоянно болит голова и такие мысли, точно я уже состарилась.

*«Три сестры»*

Позвонила в платную службу, чтобы сделать тест на вирус. Решила, что лучше сдавать тест дома, чтобы никуда не ходить и не заразиться.

Врач сказала, что я должна сдать тест за неделю до операции, но я решила перестраховаться. Что, если Маратику убьют иммунную систему, а я в это время заболею? Нет уж, я сдам тест за десять дней: пока Маратику будут убивать иммунную систему, я буду хранить себя в вате, без всяких контактов, чтобы исключить все риски.

Через три часа ко мне пришел снеговик.

То есть сначала в окно постучала Прелестная Анечка. Сказала: «Закрывай скорей двери! Ужас! У нас в доме кто-то заболел!» Она только что своими глазами видела, как у памятника Довлатову припарковался автобус с красным крестом. Из автобуса вышел человек в скафандре и шлеме, и редкие прохожие бросились от него врассыпную.

Я сказала: «Не бойтесь, это ко мне», и Анечку как ветром сдуло.

Выглянула в окно: по пустому двору шел снеговик с чемоданом. В белом скафандре и шлеме. Люди спешно закрывают форточки, как будто снеговик испускает вирус, и вирус может долететь до третьего этажа или до пятого.

Сдавать тест немного неприятно, я не выношу, когда мне что-то суют в горло, палочку или чайную ложку.

Я смеялась над теми, кто закрывает окна, а сама оказалась не лучше: боялась заразиться от снеговика, ведь снеговик общается с больными. Вирус не перепрыгнет на меня со скафандра, но я на всякий случай старалась не дышать. Когда снеговик ушел, на всякий случай пошла в душ и яростно терла себя мочалкой чуть ли не до дыр.

Слухи разносятся быстро: все думают, что я заболела. За весь день никто не подошел к лавке, ни один человек.

А вечером я выглянула в окно и увидела: на противоположной стороне двора, напротив моих окон, стоят два незнакомых пожилых человека в меховых шапках, мужчина и женщина.

Это был пикет: у мужчины был плакатик «Убирайся из нашего дома, больная!», а у женщины «Мы не хотим от тебя заразиться!». Рядом с ними стояла старушенция-псевдоподруга Довлатова (я ее не сразу узнала). У нее в руках был тетрадный лист со словами «Мне за вас стыдно, я ленингадка!». Пропустила букву «р», получилось, будто она картавит.

Не знаю, сколько времени меховая парочка простояла в пикете, возможно, пять минут, а возможно, час. Когда я выглянула в окно, пикета не было, и старушенции-псевдоподруги Довлатова тоже. А на моем подоконнике — баночка. Баночка майонезная, но в баночке не майонез, что-то красное.

Нельзя ничего на улице трогать — а вдруг там бомба? Нельзя баночку брать, вдруг меховая парочка задумала меня взорвать? Чем-то красным?

В баночке клюква. Я поняла, что клюква, когда открыла окно, взяла баночку, сняла газетную крышечку, — а там протертая клюква с сахаром. Не знаю, кто принес. Прелестная Анечка, кто-то из покупателей? А может быть, меховой парочке стало стыдно за то, что выгоняют меня из дома?.. СН говорит, что иногда кровожадные люди совершают неожиданно яркие поступки... Но, судя по выцветшей газетной крышечке, это клюква старушенции-ленингадки.

## КРАСНЫЙ МОПАССАН. КАК ТРУДНО МНЕ ДОЙТИ ДО ВЕЧНЫХ ИСТИН

**Цитата дня:**

— У тебя есть диплом бакалавра?

— Нет, я дважды срезался.

— Это не беда при том условии, если ты все-таки окончил среднее учебное заведение.

— Когда при тебе говорят о Цицероне или о Тиберии, ты примерно представляешь себе, о ком идет речь?

— Да, примерно.

— Ну и довольно, больше о них никто ничего не знает, кроме десятка-другого остолопов, которые, кстати сказать, умнее от этого не станут.

*«Милый друг»*

Утром под моим окном собрались соседи. В обычный день они бы не собрались, но сегодня праздник: кто-то вышел купить цветы, чтобы подарить своим ветеранам. А многие в этот день просто покупают цветы в честь Победы.

Дед с пятого этажа предложил повесить на окно «Здесь ковид-19», чтобы все знали и опасались ходить рядом. Прелестная Анечка сказала: «Давайте лучше сразу закидаем ее камнями» — и деду стало стыдно.

Все были в масках, стояли в полутора метрах друг от друга и от моего окна. А я через стекло махала рукой.

Ирина, жертва абьюза, сказала, что всем нам в роддоме делали БЦЖ, и это спасет нас от ковида. Дед с пятого этажа сказал, что вирус придумали, чтобы нас всех чипировать и забрать в армию и чтобы ни у кого не было денег, только пластиковые карточки с кодом антихриста.

Кто-то сказал, что сойдет с ума от изоляции, а кто-то — что его изоляция не бомбит. Кто-то сказал, что мир никогда не будет прежним, а кто-то — человека ничто не изменит.

Кто-то сказал, что вирус — это урок всему человечеству: нужно жить простой жизнью, иметь шесть соток и запас картошки. Все, даже Ирина, кивнули и сказали, что это в принципе правильно. Кто-то попросил вычеркнуть его из списка наказанных в награду за то, что ему наплевать на чужие «мерседесы».

Тут все вспомнили, кто где ставит машину, и начали спорить из-за парковочных мест. Кто-то предложил найти владельца синей «Ауди», который ставит свою «Ауди» прямо поперек тротуара, буквально у ног Довлатова. Ирина на всякий случай натянула маску повыше.

Появился Саня с двумя пакетами продуктов. Соседка из подъезда напротив сказала: правильно, что я рассталась с Маратиком, Саня лучше Маратика, выше и здоровее, и от него будут красивые дети. Соседка сказала: «Мы всем двором так считаем». Не знала, что моя личная жизнь настолько на виду...

Саня разогнал соседей, сказал, что в книжной лавке «Чемодан» вируса нет, что я донор, он принес мне продукты, потому что мне надо много есть. И все разочарованно разошлись.

Осталась женщина. Я заметила, как она бродила по двору, подошла к окну и встала в стороне, за спинами соседей. Я так надеялась, что она не придет! Но она пришла! Маратик в клинике, а я через окно разговариваю с его мамой.

Бывает, что чья-то мама оказывается совершенно такой же, какой должна быть. Мама Маратика тоненькая, как девочка, с нежным проникновенным голосом, улыбка освещает лицо, как у Маратика. Она в маске, но я почувствовала, что освещает.

— Какая вы милая, Лика. Я почему-то сразу же испытала к вам теплое чувство, как будто вы мой друг.

Я тоже сразу же захотела стать ее другом. Как будто я в первом классе, и учительница поручает раздать тетради, и я хочу оправдать ее доверие. Может быть, когда-нибудь я научусь держаться, как она. Чтобы мой собеседник сразу же почувствовал себя моим близким другом и тут же захотел стать еще более близким другом.

— Какая чудесная идея — книжная лавка в квартире! В Европе процветает идея домашних бизнесов, люди превращают свой дом в галерею, маленький отель или магазинчик и там же живут... «Чемодан» — чудесное название для лавки в Довлатовском доме. ...Как жаль, что вы расстались. Он сказал мне, что вы расстались. Знаете, Лика, мы сыном очень близки, я все о нем знаю.

Она немного преувеличивает: Маратик не всегда отвечает на ее звонки, по утрам не хочет разговаривать с мамой, потому что настроение испортится на весь день, а вечером — чтобы не расстраиваться перед сном.

— Он так тонко воспринимает искусство, с пяти лет ориентировался в Эрмитаже, как в своей детской. Мы с ним всегда были как один человек: читали друг другу стихи, пересмотрели весь балетный и переслушали весь оперный репертуар, во время спектаклей я не могла отвести от него глаз, у него было такое вдохновенное лицо... У него настоящая зависимость от искусства, от музыки, живописи.

Я изо всех сил старалась не заплакать и только преданно кивала, как китайская собака. Если бы мама Маратика была моим другом, я сказала бы, что она опять немного преувеличивает: у него зависимость от покера. Но не она мой друг, а Маратик.

Маратик ненавидит искусство. Говорит: «Представь, что твои предки — знаменитые искусствоведы и тебя водят повсюду, как дрессированную обезьянку. Ты бы тоже подростком сорвалась с цепи, прогуливала, пила...»

По-моему, это бред! Можно упрекать маму за все, что попадется под руку. За то, что ничего не дала, за то, что мало дала или слишком много. Разве можно «сорваться с цепи» из-за того, что твой прадед и дед — знаменитые искусствоведы?

— ...Я не понимаю, от чего он бежит... Бросил аспирантуру, бросил меня. ...Если он не хочет продолжать семейные традиции, пусть выберет что-то другое... что угодно, зверей в зоопарке кормить, лишь бы он был счастлив. ...Он несчастлив, Лика, вы заметили?.. Я боюсь, что он совсем потерялся в жизни...

В английской литературе герой часто не вписывается в сильную успешную семью, и ему приходится доказывать требовательной матери, что он чего-то стоит. Но у Маратика не холодная английская мать, у него такая нежная мама — не давит, готова принять, что он станет смотрителем в зоопарке.

— Лика, я могу быть с вами откровенной? Вы же знаете, что Маратик болен?.. Ну, вы знаете, он играет. Вы с моим сыном расстались, но если он появится... я хочу вас кое о чем попросить, можно?

Мама Маратика попросила дать Маратику снотворное. Подмешать в чай или еще как-нибудь. Я ей позвоню, она приедет и отвезет полусонного Маратика в клинику. В клинике его будут лечить от игровой зависимости.

Усыпить, словно в детективном сериале, завернуть в ковер и унести? Вокруг одни психи.

— Нельзя лечить насильно...

— Ну, какое же это насилие? Я его мама, я все отдам, чтобы его вылечить... Лика, вы же наш друг? Вы же хотите, чтобы он вылечился?

Я кивнула.

— Вы такая чудесная девочка, жаль, что вы расстались... Да, тут кто-то сказал, что вы донор, это так благородно. Успеха вам во всем.

Хорошо, что она наконец ушла: а если бы я начала плакать при ней? Если бы у меня была такая мама, как маленькая несчастная девочка, которая хочет завернуть своего ребенка в ковер и унести, я бы тоже захотела ее защитить.

...Если бы я заплакала, можно было бы сказать, что плачу оттого, что мы с Маратиком расстались.

Когда она ушла, я заплакала. Любовь и вранье — совершенно одно и то же. Маратик дошел до вечных истин быстрей меня: врет маме как сивый мерин.

Плакала недолго: подумала, мы с Маратиком — два вруна, врем, как два сивых мерина, как два сапога пара. И что не может быть, что Маратик умрет.

...Через час принесли еду. Не всю сразу, но примерно в одно и то же время. Запеканка, бульон, пирожки, блинчики с творогом. Пицца из пиццерии напротив, пиццерия работает навынос.

— Я тебе печеночку пожарила, — сказала соседка из подъезда напротив. — А когда у тебя будет Книжный клуб? Давай по пятницам, а? Всем родителям нужен свободный вечер в пятницу.

Она имела в виду не настоящий Книжный клуб, а детский клуб для противных детей. Ага, как же! Никаких больше противных детей в книжной лавке «Чемодан».

— Съешь печеньку, съешь бутербродик, — сказала Ирина.

— Сначала супчик, — велел дед с пятого этажа, — я овощной супчик сварил.

— А вот витаминчики: лимон—мед—клюква с сахаром... — сказала Прелестная Анечка.

...В идее детских чтений по пятницам, если присмотреться что-то есть. Можно каждую пятницу читать какую-нибудь мою любимую книгу. Не «Чиполлино» или «Волшебника Изумрудного города», а то, что мне самой хочется перечитать. Детские чтения нетрудно вести: те, кто умеет читать, будут читать по ролям, а остальные слушать.

Можно почитать «Девочку, с которой детям не разрешали водиться», например, главу, когда все ученики идут на похороны древней директрисы, и только ее одну не берут за то, что подняла руку и светски спросила: «Скажите, а от чего она умерла?»

Можно начать с «Дорога уходит в даль». Я сама из этой книги: я Сашенька, склонная к самоанализу, Маня сиротка, Лида с чувством собственного достоинства, я Тамара, самовлюбленная тщеславная сучка, я Меля Норейко, любительница пирожных.

...А если противные дети будут разного возраста? А если им станет скучно? А если они начнут кидаться вещами?

## ГОЛУБАЯ ДЖЕЙН ОСТЕН

**Цитата дня:**

— Пусть так, — согласился Чарлз. — Пусть не упоминал. Но для меня ясно как божий день, что он от тебя без ума. Он бредит книгами, которые прочитал по твоему наущению, ему хочется с тобою о них поговорить; в одной он даже что-то такое нашел, что-то такое... но нет! не стану уж притворяться, будто запомнил, но что-то очень, очень возвышенное — я сам слышал, как он рассказывал Генриетте; и как он говорил при этом о «мисс Эллиот»! Да, Мэри, тут уж я могу поручиться, своими ушами слышал, а ты была в другой комнате. «Изысканность, любезность, красота».

*«Доводы рассудка»*

В се следующие дни слились в один день.

Мне на подоконник ставят еду, как птице. У меня рот не закрывается. Это очень большая ответственность — поправиться.

Люди приносят еду и покупают книги в сачке. У меня отрицательный тест, я никому не опасна: могу брать книги руками в перчатках, как раньше. Но я кладу книги в сачок. Саня говорит, это психоз. Значит, я псих.

Покупатель пишет мне записку, что он хочет. Некоторые пишут название книги, а кто-то пишет «не знаю что, выберите сами». Я беру книгу, кладу в сачок (детский голубой сачок принес Саня). Просовываю сачок в форточку, покупатель берет книгу, кладет в сачок деньги, я тяну сачок обратно и прямо из сачка перекидываю деньги в кассу. Касса — обувная коробка, лежит у окна. Получается, что я ничего не трогаю, это абсолютно безопасно для Маратика. Маратик обрадуется, что игра продолжается: в кассе целая куча сторублевок. Всем интересно купить книгу в сачке.

Некоторым постоянным покупателям пришлось отказать. Например, дядьке в кепке, который в апреле приходил каждый день. Дядька в кепке — непокупатель под видом покупателя. В апреле он продал Толстого, купил Горького, продал Горького, купил Тургенева, продал Тургенева, купил

Чехова и так далее. Создавал видимость деятельности, своей и моей.

Появились новые постоянные покупатели: всем плохо в изоляции, кому-то от одиночества, кому-то, наоборот, плохо с родственниками. Мои новые постоянные покупатели:

— капризная дама с мужем (ей нравится, что он покупает книги в лавке и дарит ей),

— отец с подростком, которого хочет приохотить к чтению (пока не получилось),

— учительница литературы с внуком (у нее дома есть почти все, что в лавке, но внуку неинтересно взять книгу с полки, он хочет книгу в сачке),

— любительница мемуарной литературы,

— любитель мемуарной литературы (познакомила его с любительницей мемуарной литературы),

— дама, влюбленная в Пастернака (выискивает любые упоминания о нем).

Я сделала новый столик, где все вперемешку: любовные романы с девушками в чулках на обложке, дешевые детективы, среди этого раскидана классика, например, сегодня я положила туда «Госпожу Бовари» и «Моби Дика». На столе табличка: «Хотите полистать что-нибудь интересное?» Люди будут брать, что хотят, без чувства неловкости.

Стол еще никто не видел, но мне кажется, он будет иметь успех. Когда я что-то такое придумываю, я просто задыхаюсь от счастья. Потом понимаю, что Маратика нет, мне не с кем играть, и задыхаюсь от тоски.

...Сегодня пришла девушка, написала мне записку: «Слышала о вас много хорошего. Можно ли договориться использовать вашу лавку для мероприятия нашего книжного клуба?», приложила к окну. Я написала «С радостью вас выручу», приложила к окну. Мероприятие запланировано на ближайшую субботу после отмены карантина. Когда снимут карантин, никто не знает.

Ночью приходит Саня.

Саня выводит меня гулять. Прогулка — настоящая военная операция. Во время прогулки я не должна ни до чего дотрагиваться. Саня водит меня по Фонтанке. Завидев на набережной человека, останавливается, отворачивает меня к реке и закрывает руками.

От нас и без того все шарахаются: я с ног до головы обернута в фосфоресцирующий поводок, чтобы меня было издали видно и я не попала под машину.

Все эти предосторожности придумала я, не Саня. Я псих, конечно, но у Маратика больше нет своего костного мозга, теперь его жизнь зависит от меня. А если я попаду под машину?! Лучше быть в фосфоресцирующем поводке.

С весом все в порядке. Ирина просунула в форточку весы. Я набрала три килограмма двести граммов.

## ФИОЛЕТОВЫЙ БУНИН. ВСЕ ИЗ-ЗА МАМЫ

**Цитата дня:**

— Ведь не могла же ты любить меня весь век!

— Значит, могла. Сколько ни проходило времени, всё одним жила. Знала, что давно вас нет прежнего, что для вас словно ничего и не было, а вот...

*«Темные аллеи»»*

Когда СН попросил помочь ему, я почувствовала себя так, как будто меня выставили на улицу голой. Я очень старалась скрыть, и мы никогда об этом не говорили... он догадался. Неужели ему совсем безразлично, что я чувствую? Понимает, что эта тема для меня очень болезненная, и просит расковырять ранку!

Потом я подумала: нет. Ему не безразлично, что я чувствую, он не хочет сделать мне больно. Ему просто нужно для работы. Он пишет книгу и одновременно сценарий детективного сериала. Главный герой сериала — детектив с обсессивно-компульсивным расстройством.

Детектива с ОКР в принципе можно было бы списать с одного американского сериала. Но СН хочет не просто увидеть, как ведет себя человек с ОКР, а понять, что он чувствует. В новой книге будет девушка с ОКР, поэтому «хорошо было бы понять, трудно ли жить человеку с ОКР, и когда это началось».

Но я же не могла написать в ответ: «Это секрет, я не скажу». Это было бы по-детски. Тем более ему нужно для работы.

Я начала отвечать, как хорошая ученица, по порядку.

У меня ОКР в легкой форме, не болезнь, а «особенности». Когда началось? На следующий день после маминого ухода.

Это был обычный уютный вечер, про который говорят «ничто не предвещало». Мама обещала помочь мне с домашним заданием по английскому. Я о нем забыла и боялась получить двойку. Мама сказала: «Ложись спать, я сделаю».

Ночью (в три часа ночи), отец разбудил меня со словами «вставай, мама от нас ушла». Я встала и сказала: «А как же домашнее задание?»

У меня чувство вины размером с дом за это «А как же домашнее задание?», как будто я не оценила всю огромность случившегося. Но они, конечно, повели себя странно. Почему мама ушла так внезапно? Почему отец разбудил меня ночью, чтобы сказать «мама ушла»? Ведь он психолог, сколько раз в день он повторяет слова «детская травма»?!

...Я загадала: если в соседнем доме горит свет в трех окнах, мама к утру вернется и все будет, как прежде. Если нет, то нет. В соседнем доме горел свет в одном окне.

Я убеждала отца, что мама уехала в отпуск. Говорила: «Не бывает, что ты заснешь, а мама уйдет». На следующий день я начала загадывать числа, считать в уме тройками, — так и началось. Я до сих пор все делаю по три раза, три — мое волшебное число, или число, кратное трем. Не помню, когда я начала складывать свитера и футболки ровными стопками, ставить чашки в ряд, сметать невидимые крошки со стола.

Отец говорит, что у меня ОКР из-за мамы.

...Трудно ли жить человеку с ОКР?

Каждый может прочитать в интернете: обсессии — это вызывающие тревогу навязчивые мысли, компульсии — это ритуалы, которые снижают тревожность. Возьмем для примера СН.

СН говорит, что у профессионала не бывает настроений, профессионал не ждет вдохновения, садится и работает. Каждый день, перед тем как пойти в кабинет работать, он стонет «сегодня ужасная голова, не напишу ни строчки» и исчезает за дверью кабинета. И вот уже из кабинета доносятся голоса... например:

— До чего ты дошла, прячешь коньяк в шляпной коробке!.. Я так больше не могу!

— Положи коньяк. Размахиваешь бутылкой, как флагом.

То есть голос, конечно, один. За мужчину СН говорит жалким надломленным голосом, за женщину насмешливо. Из двух строчек диалога все понятно: она презирает его за слабость. СН всегда проговаривает диалоги вслух: произнесенные реплики звучат совсем иначе, чем написанные.

Зачем он каждый день стонет, как будто заговаривает себя, «не напишу ни строчки»? Затем, что стонать — это его ритуал. У всех есть ритуалы.

Но между человеком с ОКР и без ОКР принципиальная разница. Человек без ОКР может отказаться от своих ритуалов, если понадобится. А я, если начнется пожар, брошусь собирать по ящикам розовое мыло. ...И, перед тем как выбежать из квартиры, расставлю предметы симметрично и смету со стола крошки, чтобы «не случилось ничего плохого», даже если плохое происходит прямо сейчас.

Или, к примеру, я не ношу цепочки, боюсь, что они могут меня задушить. Катька тоже не носит, не любит. Но наденет, если попросят (не знаю, зачем могут попросить надеть цепочку, но если попросят), и забудет. А я, если надену цепочку, начну тяжело дышать, как будто меня душат.

Что еще? Самые обычные действия могут привести к мгновенному приступу ужаса. Например, хочешь почистить зубы, берешь зубную пасту и видишь, что в тюбике осталось мало пасты. И мгновенно загадываешь: если не смогу выдавить пасту, случится что-то ужасное. Ты еще не успел задумать, что именно — не сдашь экзамен или что-то другое, но тебя уже бросило в жар. Или ты постелил постель неровно, и сразу мысль — что-то случится. Жизнь человека с ОКР — это серия мгновенных ужасов.

Трудно ли жить человеку с ОКР? Иногда трудно, иногда нет. Мгновенный ужас, когда спирает дыхание, может случиться раз в день, может много раз в день. А может не случаться неделю. Не знаю, от чего это зависит.

Трудно ли жить рядом с человеком, у которого ОКР в легкой форме? Нет, если не возражаешь, что он не просто расправляет скатерть или наливает чай, а строго определенным образом расправляет и наливает... Если не возражаешь, что у него в голове все время щелкает пульт, переключая программы, то не трудно.

Думала, послать ли СН это домашнее задание, решила пока не посылать или вообще не посылать. Жаль, что я потратила на это время.

С другой стороны, сейчас я ничем не занята. Еда — мое основное занятие, не считая самокопания и продажи книг в сачке.

**Цитата дня:**

— Я уже начинаю понимать вас всех, кроме мисс Прайс, — сказала мисс Крофорд, прогуливаясь с братьями Бертрам. — Скажите на милость, она выезжает или не выезжает?.. Я в недоумении... Она вместе со всеми вами обедала у викария, значит, похоже, она выезжает, и однако ж, она так неразговорчива, что трудно этому поверить.

*«Мэнсфилд-парк»*

Позвонила Катька. Кричала: «Он монстр!»

Катька считает, что СН монстр. Он не монстр, у него невроз и трудный характер. Она его ребенок, поэтому совсем не умеет с ним обращаться: ребенок не будет смотреть, какое у отца сегодня настроение. Например, по утрам с ним лучше не разговаривать. Утром он всегда готов к атаке.

Катька могла бы привыкнуть не говорить по телефону, не хлопать дверью ванной, не спрашивать, какие у него на сегодня планы, вообще не производить никаких звуков. Но Катька не может не производить звуков, и из этого всегда получается скандал: Катька смеется или напевает, а СН кричит: «Б...ть, б..., б...!» Шума за окном СН не замечает, его раздражают только домашние звуки. Ему тяжело видеть чью-то утреннюю радость, трудно начинать день.

В его компьютере есть специальная программа «упоминание имени». Если его книга на одном из первых мест по продажам, если его имя упомянуто в прессе, или у сериала по его книге высокий рейтинг, или какое-нибудь издание просит об интервью, — тогда с ним можно разговаривать. Если никакого приятного события не случилось, то нельзя.

А если он прочитал в новостях о чужом успехе, он становится маленьким и тихим, смотрит взглядом «дайте мне умереть спокойно». Все это звучит, словно СН тщеславный и завистливый человек, но это не так! Это не зависть, а горечь: если кто-то лучше, значит, он хуже, недостаточно хорош, и от этой мысли можно умереть. Мне так кажется, но я могу ошибаться, и он чувствует совсем другое.

После чашки кофе все становится чуть лучше, еще нельзя радоваться, но уже можно начинать жить. СН вяло бродит по дому, жалуется, что у него слабость во всех частях тела, что он не может сосредоточиться. За завтраком говорит, что сырники подгорели, талант иссяк. Главное, не возражать. Однажды Катька в ответ начала перечислять его книги и фильмы, СН сидел с каменным лицом... и вдруг взял сырник и метнул в стену. Был жуткий скандал с метанием сырников и перечислением более успешных сценаристов.

Катька сказала, что СН кричал ей ужасные вещи: «Ты вылитая мать!» и «Жирная корова!» (Катька не жирная).

Я сказала, что глупо обижаться на беспочвенные обвинения.

— Типа на дураков не обижаются?.. Мамочка, ты моя настоящая мамочка, когда ты возьмешь меня к себе? — детским голосом спросила Катька, и мы стали смеяться. Я старше ее на семь лет. Насчет того, что Катька — вылитая мать, я ничего не знаю: она похожа на СН.

...Я представила, как после завтрака СН мрачно удаляется в кабинет со словами «сегодня у меня ничего не получится», а в девять вечера выходит из кабинета самым милым человеком на свете. За вечер с СН можно отдать все. Ну, или много чего.

**Цитата дня:**

*Вожеватов* (Огудаловой.) Вот жизнь-то, Харита Игнатьевна, позавидуешь. (Карандышеву.) Пожил бы, кажется, хоть денек на вашем месте. Водочки да винца! Нам так нельзя-с, пожалуй, разум потеряешь. Вам можно все: вы капиталу не проживете, потому его нет, а уж мы такие горькие зародились на свете, у нас дела очень велики; так нам разума-то терять и нельзя.

*«Бесприданница»*

Все было очень просто и буднично.

Я перестала волноваться в ту же минуту, когда вошла в клинику: больше ничего не может случиться, я уже тут.

Анестезиолог сказал «сейчас я сделаю укольчик», а через пару секунд я проснулась и поняла, что ничего не получилось. Сказала «неужели ничего не получилось?». Мне показалось, что прошло всего несколько секунд, и комната другая, и другая капельница.

Я потрогала поясницу — там пластырь. Пластырь налеплен. Сильно болит спина. Наверное, все же получилось!

— Как вы себя чувствуете? — спросила врач. — Выпейте воды... Хотите банан? Фруктовое пюре? Вы морщитесь, сильно болит?

— Нет... ерунда.

Выпила воду и съела банан. За эти недели я стала изрядной обжорой, привыкла все время есть. И сказала: «Я, наверное, пойду». Мне велели лежать и пить чай с плюшками.

Пока я пила чай, пришла врач. Сказала:

— Ваш костный мозг уже успешно пересадили вашему реципиенту.

Значит, Маратик лежит под капельницей, на капельнице пакетик с моей кровью, на пакетике написаны пол, возраст, номер донора.

— Я знаю, что вы не можете ничего мне рассказать об этом человеке, но... он ничего мне не передал?

— Я могу вам сказать только, что это молодой парень из Петербурга. Он сейчас очень слабый и спит, — сказала врач.

Маратик идиот. Заснул, не передав открытку. Будет клясться, что передал или потерял, а сам просто заснул!

— Но он передал вам открытку. — Врач протянула мне конверт.

Мне вызвали такси, и я поехала домой. В такси вытащила открытку. Это была другая открытка. Новая, красивая, с выдавленным рисунком. Какое это потрясающее чувство — спасти кому-то жизнь, какому-то парню из Петербурга. А мы с Маратиком не генетические близнецы, а просто родственные души, так даже лучше.

Но ведь Маратик кому-то передал нашу открытку?.. Наверное, этот кто-то удивился, получив открытку, на которой написано «Спасибо за жизнь, Балда!».

**Цитата дня:**

— Мошенник! — сказал Собакевич очень хладнокровно, — продаст, обманет, еще и пообедает с вами! Я их знаю всех: это всё мошенники, весь город там такой: мошенник на мошеннике сидит и мошенником погоняет.

*«Мертвые души»*

Я каждый день получала от Маратика эсэмэски «люблю тебя», и мне это ужасно не нравилось. Я думала: все плохо, трансплантат против хозяина... Ходила вокруг дома, по Фонтанке, по Щербакову переулку, по Графскому переулку, и везде стояла смерть, на углу Графского и Фонтанки я ее точно видела.

Но сегодня... Сегодня! Я! Получила! За одно утро! 19 сообщений! Боюсь сглазить, но 19 кажется мне хорошей цифрой. Семь «Балда, я живой!», шесть «Я живой, Балда!», пять «Балда, ты такая балда!» и одно «Как бизнес?».

Как бизнес? Моя идея с детскими книжками 60-х на подоконнике провалилась, но не совсем провалилась.

Я поставила на подоконник полочку, на полочку «Необыкновенные приключения Карика и Вали», так, чтобы каждый проходящий мимо мог разглядеть. Я думала, что люди увидят книгу своего детства и зайдут, как рыбы на наживку. Можно менять книгу каждый день или раз в два дня. Зашел один человек, погладил книжку и ушел, ничего не купив.

Сегодня утром поставила «В стране невыученных уроков» — и сразу трое! Девушка с коляской и два пожилых человека. Девушка сказала «мне эту книжку читала бабуля», но не купила. Зато двое немолодых мужчин чуть не подрались за «В стране невыученных уроков» в пятнах. Видимо, бывшие двоечники. Бывшие двоечники хотели устроить аукцион. Расстроились, когда узнали, что «В стране невыученных уроков» не продается.

Остальные детские книги спрятаны. Я хочу поставить их в специальный шкафчик: на дверце шкафчика будет картонка «Это мои детские книги. Вы можете взять их почитать!». Надеюсь, никто не спросит, почему я в детстве читала книги, изданные в шестидесятые, тогда мне сейчас должно быть около семидесяти.

«Не все коту масленица», — злорадно написал Маратик, узнав, что идея с детскими книгами на подоконнике провалилась. Вредничает, значит, пришел в себя. Ттт, чтобы не сглазить.

Саня первым же «Сапсаном» уехал в Москву.

## ЗЕЛЕНЫЙ ДИККЕНС

**Цитата дня:**

— Извините, сэр, — ответила миссис Плорниш, женщина учтивая. — Скажу без обмана, он ушел искать работы.

«Скажу без обмана» было излюбленной поговоркой миссис Плорниш. Не то чтобы она когда-нибудь кого-нибудь собиралась обманывать, но ее речь неизменно начиналась с этого заверения.

*«Крошка Доррит»*

Вы не осуждаете Саню? Я нет. Я его хорошо понимаю. Сначала выбрал одно, а потом другое, ну и что? Решил, что выбирает лучшую версию себя, потом перерешил, выбрал другую версию себя. Может, у него несколько разных версий себя?

У меня тоже так бывает, просто у меня выбор среди маленького: хочу ли я стать писателем, кого я люблю. Я еще ни разу не выбирала между двумя версиями себя.

Может, Санин приезд в Петербург — это временное умопомрачение? Или, как в русской классике, последняя вспышка юношеского идеализма. Саня из Обломова превращается в Штольца? В Питере быть Обломовым, в Москве Штольцем, рядом с мамой хорошим, а рядом с отцом плохим. Это вроде бы детская идея?.. Саня не хочет быть как отец, отец ему не нравится. Если любишь отца, то неважно, нравится он тебе или нет. Мне не нравится, что мой отец всегда объясняет мне, что я чувствую, но я его люблю. А Саня своего отца не любит, и он ему не нравится. Но ему нравится власть.

Саня сначала решил быть хорошим, а потом перерешил быть хорошим.... Или это ген за него перерешил — быть не учителем, а владыкой морским? Интересно, Саня будет спать с женой отца? Будет унижать людей, не платить им зарплату? И превратится в огнедышащего дракона прямо на Ленинградском вокзале, выйдя из «Сапсана»?..

Может, в нем всегда сидел дракон? Тогда Сане нужно с ним сжиться и примириться с тем, что у него ген убийцы. Мы все тут, в лавке, от чего-то спасались: Саня — от гена убийцы, Маратик — от мамы и от смерти, я — сама не знаю от чего, от себя. Но зачем нам быть другими людьми, не собой?

Я немного пострадала от Саниного выбора: я-то считала, что у меня любовный треугольник. СН — я — Саня. Из любовного треугольника нужно было кого-то выбрать. Я бы не выбрала Саню. Но все-таки обидно, что он даже не думал, что его сейчас будут выбирать, а уехал первым же «Сапсаном». В Москву можно было уехать и на машине, но в Питере у него нет машины, его машина в Москве.

Представила, как Саня постепенно превращается в дракона в вагоне поезда: на станции Бологое у него уже страшные когтистые лапы, а ближе к Москве прорезывается хвост — и вот он выходит на Ленинградском вокзале драконом в пупырчатом панцире, рычит и бьет хвостом по перрону.

# ГОЛУБАЯ ДЖЕЙН ОСТЕН

**Цитата дня:**

У капитана Уэнтуорта не было состояния. Он был удачен в службе, но, легко тратя то, что легко ему доставалось, он ничего не накопил. Однако ж он не сомневался, что в скором времени разбогатеет; полный огня и рвенья, он знал, что скоро получит он корабль и новое его положенье обеспечит ему все, к чему он стремится.

*«Доводы рассудка»*

✓ поводов для драки в Книжном клубе — один
✓ куплено книг — двухтомник Войнич и бордовый Гиляровский
✓ в кассе 800 руб., из них 600 руб. Книжный клуб, 100 руб. двухтомник Войнич, 100 руб. Гиляровский

Мне очень нужен Маратик. Есть несколько практических вопросов, которые я бы хотела с ним обсудить.

Первый вопрос. Если взглянуть правде в глаза, средняя выручка в день... небольшая. Даже если считать, что один день хороший, а другой плохой, как всегда бывает в книжной лавке.

Второй вопрос. Можно ли к нам с собаками?

Я думаю так: трусливому корги из Толстовского дома можно, бульдогу в норковой шубе из дома напротив можно. Они наши соседи и постоянные покупатели. То есть, конечно, их хозяева. Но остальным?

Третий вопрос. Может быть, нам уже нужны соцсети? Дело в том, что все вдруг становится настоящим, как будто лавка «Чемодан» выплывает из тумана. К нам уже приходят не только соседи. К нам даже приходят знаменитости.

У нас есть трехтомник Довлатова, изданный в 1993 году, с рисунками Александра Флоренского. Четыре тома стояли на полке «Книга дня». Четыре тома, потому что к трехтомнику прилагается дополнительный том «Малоизвестный Довлатов», тоже с рисунками Флоренского. Так вот, к нам зашел сам Александр Флоренский! Увидел книгу дня и сказал, что это он — художник. Это потрясающе, как будто в лавку «Чемодан» зашел Рембрандт или Репин!

Приходила миниатюрная, красивая женщина с хвостиком, как у девочки: я первый раз в жизни видела человека, который дружил с Довлатовым и Бродским. Не то чтобы незнаменитые покупатели мне не так дороги, но присутствие знаменитых покупателей делает лавку более реальной, почти совсем реальной!

Четвертый вопрос. Книжный клуб. Можно ли сделать его платным?

Книгу для обсуждения выбирала Прелестная Анечка.

Анечка выбрала «Сагу о Форсайтах». Это хорошая мысль. «Сагу о Форсайтах» любят все. Мне уже три раза приносили синий двухтомник «Сага о Форсайтах», и его тут же покупали. Эта книга — беспроигрышный вариант для книжного клуба: те, кто не читал, видели сериал. Тем, кто не видел сериала, тоже есть что сказать на тему семьи, секса и измены.

Я написала правила Книжного клуба:

1. У клуба нет просветительской цели.

2. Клуб открыт для всех желающих, кроме литературоведов.

3. Литературоведы тоже могут прийти. Но не должны пугать участников своей образованностью, чтобы те не боялись сказать хоть слово.

4. Нежелательно говорить «а вот у меня был такой случай» и «у моей знакомой тоже был такой случай».

5. Вход 100 руб.

Сто рублей — это правильная сумма, чтобы считать, что участвуешь в мероприятии, а не просто приглашен на вечеринку? Или это слишком много? Что делать, если из шести билетов (билетов всего шесть, так как карантин еще не закончился) будет продан один? Буду проводить книжный клуб с одним человеком. ...А если, кроме Прелестной Анечки, никто не придет? Проводить книжный клуб с одной Анечкой? С Прелестной Анечкой мы и так разговариваем о книгах каждый день.

...Утром ни один билет не был продан, днем ни один билет не был продан. Я весь день сидела в лавке, не сводя глаз с дверной ручки. Мне казалось, что ручка шевелится и сейчас откроется дверь... но никто не приходил.

А к вечеру билеты были куплены. Все эти люди в лавке впервые, я никого из них не знаю. Прелестная Анечка почему-то не пришла.

Сначала, как и планировалось, обсуждали «Сагу о Форсайтах». Присутствующие разделились на две группы: консерваторов и либералов.

Тезисы консерваторов: Ирэн, согласившись выйти замуж за Сомса, заключила договор. Она обязана исполнять супружеские обязанности: порядочный человек выполняет взятые на себя обязательства. Это верно, я тоже на стороне Сомса.

Тезисы либералов: никто не является собственностью другого человека. А если так, то я на стороне Ирэн.

Консерваторы подробно пересказывали сюжет. Либералы высказывались каждый о своем: о различии термина «свобода» по Аристотелю, Шопенгауэру и Хайдеггеру, о кредитах и ипотеках, феминизме и гомосексуальных браках. Это мне урок: когда в Книжный клуб приходят не противные дети, а интеллигентные люди, нужно заранее готовить вопросы.

Ну, а затем все пошло не так... В лавку вошел человек в маске. Он был в белой медицинской маске, как и все мы.

Задержался у входа, около стула «Любимые книги» (недавно придумала, на сиденье стопка книг). Взял со стула книгу «Зулейха открывает глаза» и проворчал:

— Вот это преподносят как высшее достижение современной литературы, переводят на десятки языков... Эх, пропала русская словесность...

— Это прекрасная книга! Все наши сотрудники читали, некоторые даже плакали, — сказала женщина с первым томом Войнич. В первом томе двухтомника Войнич — «Овод», а во втором — «Сними обувь твою», я люблю этот роман больше, чем «Овод».

— Ваши сотрудники не ориентир. «Плакали» не ориентир. Я член Союза писателей, я ориентир!

— Великолепный роман, читается на одном дыхании, а вы просто завидуете, — возразил мужчина, муж или друг женщины с первым томом Войнич. У него в руках был Гиляровский, бордовый. Бордового Гиляровского трудно продать, им мало кто интересуется.

Я очень боюсь конфликтов. Не раз встречала фразу «он понял, что конфликта не избежать, и предоставил событиям идти своим чередом». Так вот, я закрыла глаза и предоставила событиям идти своим чередом.

— Завидую?! — воскликнул член Союза писателей. — Да эта книга просто симулякр, никакой исторической достоверности.

Я его понимаю. Если бы я была писателем, я бы тоже расстраивалась, что не мои книги полюбили.

Женщина встала, подошла к писателю и со словами «это настоящая литература, а вы сам симулякр» пихнула его первым томом Войнич. Если бы я не видела этого своими глазами, я бы не поверила, что на Книжном клубе в лавке «Чемодан» разыгралась настоящая литературная битва.

Писатель ушел, а женщина сказала, что у нее уже есть один экземпляр «Зулейха открывает глаза», но она купит еще и этот. Я рада, что книга досталась тому, кто так ее любит.

Члены Книжного клуба предложили запереть дверь, чтобы нам не мешали. Я закрыла дверь на ключ и постаралась не показать, что не знаю, что делать дальше. Но я не хотела сдаваться. Подумала и предложила поговорить на тему «Мой идеал родом из книг, прочитанных в детстве».

Все так радовались, смеялись и тянули руки, что все слилось у меня перед глазами в один большой кричащий ком.

Вот ответы женщин:

— Мой идеал женщины — Карлсон. Я веду себя с мужчинами как Карлсон: люблю себя, капризничаю, съедаю все конфеты, выбираю самый большой орешек. Этот выбор принес мне большой успех у мужчин.

— Мой идеал — Синеглазка из книги «Незнайка и его друзья». Отличница, сдержанная, строгая. Пожалуй, мне это испортило жизнь. Я подсознательно искала именно таких отношений, и мне попадались вруны и бывшие двоечники...

— Мой идеал мужчины — доктор Айболит, я росла без отца...

Женщины говорили почти всерьез, а мужчины иронически.

— Мой идеал — Роза из «Маленького принца». Маленький принц каждый день поливал Розу, загораживал от ветра, исполнял все ее капризы.

— Мой идеал — Мальвина: спасает, отмывает, лечит, становится совестью. Вот только с сексом проблема. Разве возможен секс со своей совестью?

— Мой идеал — плохая девочка, Миледи.

Члены Книжного клуба были рады встретиться со своим детством. Все бы могло закончиться достойно, но если что-то не задалось, то... в общем, Книжный клуб закончился скандалом.

— Наша встреча подошла к концу, пожалуйста, следите за нашими объявлениями, — сказала я.

Все сказали «спасибо, было чудесно», я обрадовалась, и тут раздался стук в дверь. Это был не совсем стук, кто-то барабанил так, будто хотел вынести дверь. И при этом орал, как орангутанг:

— Открой дверь! Открой дверь! Открой мне дверь!

Это была Прелестная Анечка. Еще вчера она была в хорошем периоде, выбрала для клуба «Сагу о Форсайтах». Но плохой период может начаться неожиданно, за ней не уследили, и вот — совершенно пьяная Прелестная Анечка ломится в дверь.

Я подошла к двери и лживым голосом, словно не знаю, кто это, сказала:

— Простите, у нас мероприятие, мы закрыты.

— Закрылась, бизнесменка хренова! — заорала Анечка и ударила по двери ногой. — Открой мне дверь, я тоже хочу! Со мной так нельзя! Открой дверь! Я человек!

Я подумала «ну, правда, она же человек».

— Проходите, садитесь, пожалуйста... Мы обсудили «Сагу о Форсайтах»...

— Вы знаете, что Сомс изнасиловал Ирэн?! — войдя в лавку, крикнула Анечка.

И сразу притихла, успокоилась, заулыбалась. Провожала вместе со мной гостей Книжного клуба. На пороге сказала: «Пусть все будет хорошо, и каждая Ассоль встретит своего Дориана Грея».

На этом гости Книжного клуба разошлись, уверяя, что этот небольшой инцидент не испортил прекрасного вечера и что никто не сомневается, что Анечка читала и Грина, и Уайльда. А один из мужчин наклонился ко мне и сказал: «Знаете, у меня уже лет двадцать не было такого хорошего настроения». ...Неужели двадцать?..

За Прелестной Анечкой пришла сестра, и мы еще немного поговорили о любви и долге. Я была за Сомса, хотя в жизни я исключительно за свободу, против любых ограничений. Анечкина сестра была за Ирэн, хотя в жизни она человек долга.

Утром зашла Прелестная Анечка:

«Вчера все прошло неплохо. Но твои гости — плохие читатели и ограниченные люди. Прочитали два толстенных тома, а обсуждали только любовную линию».

И это говорит человек, ввалившийся в лавку «Чемодан» с криком «Сомс изнасиловал Ирэн!».

**Цитата дня:**

— Смешная Аглая, — заметила она вдруг, — останавливает меня и говорит: «Передайте от меня особенное, личное уважение вашим родителям; я, наверно, найду на днях случай видеться с вашим папашей». И этак серьезно говорит. Странно ужасно...

*«Идиот»*

✓ писем СН в почте — одно

Дорогая девочка, прочитал твои записки. Это ведь не все записки целиком? Ты можешь прислать мне все полностью? Я это использую.

## ВЫДЕЛЯЮ ШРИФТОМ, ЧТО МНЕ НУЖНО ЗНАТЬ.

1. Ты пишешь, что общение со мной тебя разрушает. Это очень печально, я бы хотел сохранить тебя в моей жизни. Я думал, что ты вернешься, мне казалось, что мы хорошо ладим, ну, и конечно, что общение со мной тебя обогащает.

МНЕ НУЖНО ЗНАТЬ: КАК ТЫ ЭТО ПОНЯЛА, ЧТО ТЫ ЧУВСТВУЕШЬ, ЖАЛЕЕШЬ ЛИ, ЧТО ВСЕ КОНЧЕНО, ПОДРОБНО.

2. Ты пишешь о своем «плохом поступке». Давай разберемся.

Мы с твоим отцом, по его словам, были знакомы в юности, прости, что это совершенно изгладилось из моей памяти. Ты подошла ко мне после семинара рассказать, что я любимый писатель твоего отца. А также, что твой отец и я были знакомы в юности. Твой отец с гордостью упоминал о нашем знакомстве, мои книги были на почетном месте в твоем доме, ты росла, глядя на мои книги.

Я ответил, что не помню твоего отца, пусть я его любимый писатель, но он лишь один из моих читателей. И добавил: жаль, что я не знал тебя в детстве, ты, без сомнения, была так же очаровательна, как сейчас. С этого начались наши чудесные отношения.

Ты пишешь, что тебе было очень обидно за отца: встреча со мной стала важным событием в его жизни, а я даже не смог его вспомнить. Ты пишешь, что обида за отца подтолкнула тебя к отношениям со мной, и называешь это своим «плохим поступком». Мне, напротив, это кажется естественным и понятным.

Дорогая девочка, с твоей стороны не было ни интриг, ни желания отомстить, а всего лишь понятное желание компенсировать мое «пренебрежение» к твоему отцу. Но наши мотивы чрезвычайно разнообразны, темные потаенные уголки души есть у каждого. Даже не думай переживать из-за этого. Помирись с отцом, ты же не думала, что он одобрит твои отношения со мной только потому, что я его любимый писатель? Для этого нужна совсем уж неординарная любовь к литературе.

МНЕ НУЖНО ЗНАТЬ: ТЫ ПИШЕШЬ, ЧТО Я ЗАНИМАЛСЯ СЕКСОМ НЕ С ТОБОЙ, А СО СВОИМ ЖЕЛАНИЕМ СЕКСА. Звучит довольно двусмысленно и, как мне кажется, несправедливо, но пусть это останется на твоей совести. ВАЖНО! БЫВАЛО ЛИ У ТЕБЯ ТАКОЕ ЧУВСТВО С РОВЕСНИКАМИ? КАКИЕ РАЗЛИЧИЯ В ОТНОШЕНИИ К СЕКСУ С ПЕРСОНАЖЕМ И С ЕЕ РОВЕСНИКАМИ? Предположить я могу и сам, но мне нужно с точки зрения моей героини.

Ты пишешь, что поняла одну очень важную вещь. Поскольку я, вольно или невольно, поспособствовал этому, то могу считать, что из нашего знакомства вышла некоторая польза. Имеет ли это значение для понимания персонажа? Если да, обязательно напиши.

Всегда твой СН.

АААА! ААААААА! Он и правда монстр! Уже давно понятно, что я для него персонаж, но в конце письма он забылся и назвал персонажем себя. Он и себя назвал персонажем! Он и правда монстр или просто писатель?

## ТЕМНО-СИНИЙ БУНИН

**Цитата дня:**

— Не угощайте его, папа, напрасно. Он вареников не любит. Впрочем, он и окрошки не любит, и лапши не любит, и простоквашу презирает, и творог ненавидит.

*«Темные аллеи»*

Я не буду отвечать СН.

Но зачем я послала ему свои записки (не все, не все, выборочно!), если не собиралась отвечать? Очень просто: потому что я не хочу с ним быть, но не хочу его потерять.

Он когда-то сказал, что мы любим такого себя, каким видим себя рядом с кем-то. А я себе рядом с ним не нравилась, рядом с ним я была безъязыкой, немой. Я должна была ему написать, потому что не хотела остаться немой.

Я поняла Очень Важную Вещь, Которая Перевернула Мою Жизнь, и начинаю новую жизнь.

Для кого-то это ерунда, но это перевернуло мою жизнь: я поняла, что всей моей жизнью управлял стыд.

Невозможно, не может быть? Но это так!

Я никому не говорю, что мама живет в Италии. Мне стыдно, что мама живет в Италии: значит, я не так важна для собственной матери, что она живет без меня. Стыдно, что отец дорожит единственной встречей с СН, который его даже не помнит.

Перед отцом самый острый стыд: я лучше умру, чем скажу, что мне плохо, что у меня что-то не получается... Мне было стыдно прийти к отцу, я с таким скандалом ушла, — и что, вернулась?.. Мне было страшно одной, но я не позвала к себе подруг: не хотела показывать им, что мне плохо. Никто не должен видеть, как мне плохо. Я чуть не выбрала Саню, который мне не нужен, потому что «стыдно остаться одной». Такой жгучий стыд, что меня будут жалеть или обсуждать. Я всегда говорю, что у меня все хорошо, чтобы соответствовать и быть без изъяна.

Нет никаких причин тому, что я такая. Никто меня не отвергал, не обижал, не высмеивал мою внешность, учебу, родителей, образ жизни: в меня, наверное, это встроено — желание соответствовать.

Вот ужас-то! Я такая независимая, а все важное в своей жизни делала не для себя, а для других: чтобы меня не осудили. Всей моей жизнью управлял стыд, и только эти месяцы карантина я жила, как хотела: все равно жизнь остановилась, меня никто не видит и не знает, как я живу. Это инсайт, озарение, что главным чувством был стыд.

Теперь расстреливайте меня.

Ах, да, новая жизнь. Вот моя новая жизнь: я больше никогда не позволю, чтобы стыд управлял моей жизнью, я буду делать только то, что хочу.

Например, в рамках новой жизни помирюсь с отцом, не стыдясь, что у меня что-то не так. Я скажу: «У меня не получилось». Кому-то это покажется ерундой, но для меня это большой, просто огромный шаг — признать, что у меня не получилось.

# ИНТЕРЛЮДИЯ

Интерлюдия — небольшая пьеса или связующее построение, исполняемые между основными частями произведения.

*«Большой энциклопедический словарь»*

Утро.

Казалось бы, это просто — повесить на дверь «Часы работы».

**Часы работы книжной лавки «Чемодан» 11:00—19:00**

Если исходить из требований Маратика, лавка должна открываться не раньше, чем он проснется. Маратик очень слабый, может проспать до вечера. Есть и другие обстоятельства, влияющие на мое решение: дети, студенты и учителя приходят в лавку после занятий, около трех, а праздношатающиеся по Рубинштейна — вечером... а бары на Рубинштейна работают до четырех утра, посетители баров захотят купить книгу ночью... **Часы работы книжной лавки «Чемодан» 15:00—04:00**

Но у меня должна быть личная жизнь! Надеюсь ли я, что любовь набросится на меня, как убийца с ножом в переулке, в Графском переулке или в Щербаковом? Конечно да, а кто же не надеется?! ...Личная жизнь, как правило, занимает человека целиком. Тогда так: **Часы работы книжной лавки «Чемодан» 15:00—15:20.**

День.

Сегодня один из покупателей подошел к прилавку и спросил: «Зачем ты здесь?» Я хотела сказать «я продаю книги», но он сам себе ответил: «Три слова: вымысел от реальности не можешь отличить». Не так уж глупо. Но почему три слова? Четыре, если не считать предлоги...

Вечер.

Мир остался прежним, на Рубинштейна вернулась жизнь, нужно протискиваться сквозь толпу к памятнику Довлатову. Дотронулась до руки, спросила тихо «всё нормально?», он сказал «всё норм».

*Литературно-художественное издание*
әдеби-көркем басылым

*Серия «Мальчики да девочки. Проза Елены Колиной»*

# Елена Колина

# ХОРОШИЕ. ПЛОХИЕ. НОРМАЛЬНЫЕ

*Роман*

Редакционно-издательская группа
«Жанровая литература»

Зав. группой *М.С. Сергеева*
Ответственный за выпуск *Т.Н. Захарова*
Компьютерная верстка *Ю.Б. Анищенко*

Произведено в Российской Федерации
Изготовлено в 2020 г.

Подписано в печать 10.08.2020 г.
Печать офсетная. Бумага офсетная. Гарнитура Literaturnaya.
Формат 76х108/32. Усл. печ. л. 10,8.
Тираж 3000. экз. Заказ № 5316.

Общероссийский классификатор продукции
ОК-034-2014 (КПЕС 2008): — 58.11.1 — книги, брошюры печатные

ООО «Издательство АСТ»
129085 г. Москва, Звездный бульвар, д. 21,
строение 1 , комн. 705, пом. 1, 7 этаж

Наш электронный адрес: www.ast.ru
E-mail:zhanry@ast.ru

«Баспа Аста» деген ООО
129085, г. Мәскеу, Жұлдызды гүлзар, д. 21, 1 құрылым, 705 бөлме, пом. 1, 7-қабат
Біздің электрондық мекенжайымыз : www.ast.ru
E-mail: zhanry @ast.ru
Интернет-магазин: www.book24.kz
Интернет-дүкен: www.book24.kz
Импортер в Республику Казахстан и Представитель по приему претензий в
Республике Казахстан — ТОО РДЦ Алматы, г. Алматы.
Қазақстан Республикасына импорттаушы және
Қазақстан Республикасында наразылықтарды қабылдау
бойынша өкіл — РДЦ «Алматы» ЖШС, Алматы қ.,
Домбровский көш., 3«а», Б литері офис 1. Тел.: 8(727) 2 51 59 90, 91 ,
факс: 8 (727) 251 59 92 ішкі 107;
E-mail: RDC-Almaty@eksmo.kz , www.book24.kz Тауар белгісі: «АСТ»
Өндірілген жылы: 2020
Өнімнің жарамдылық; мерзімі шектелмеген.
Отпечатано с электронных носителей издательства.
ОАО "Тверской полиграфический комбинат". 170024, Россия, г. Тверь, пр-т Ленина, 5.
Телефон: (4822) 44-52-03, 44-50-34, Телефон/факс: (4822)44-42-15
Home page - www.tverpk.ru Электронная почта (E-mail) - sales@tverpk.ru